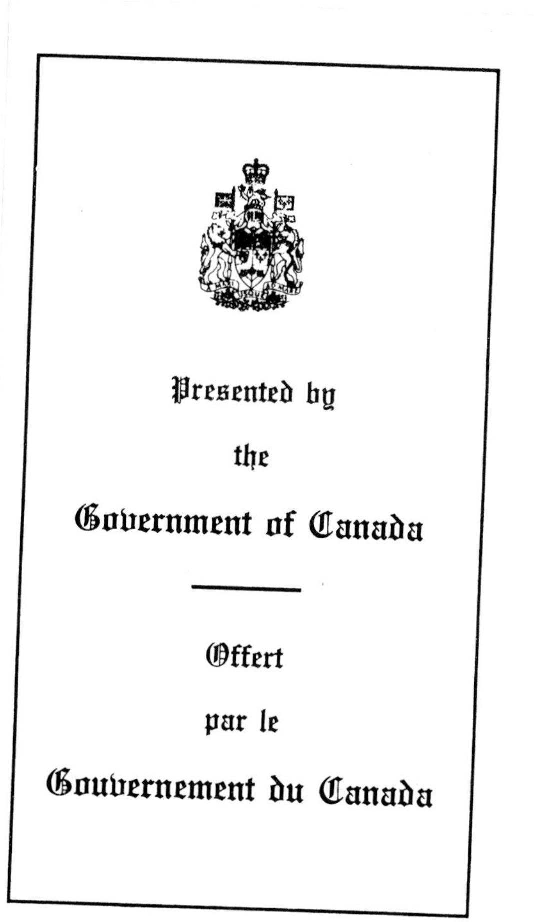
Presented by
the
Government of Canada
Offert
par le
Gouvernement du Canada

L'auteure tient à remercier le Conseil des Arts du Canada qui lui a accordé une subvention pour la rédaction de ce roman.

COLLECTION FICTIONS

Le dieu dansant de Yolande Villemaire
est le quatre-vingt-troisième titre de cette collection
dirigée par Suzanne Robert et Raymond Paul.

DE LA MÊME AUTEURE

Romans

Meurtres à blanc, Guérin, 1974 et Typo, 1986.
La vie en prose, Les Herbes rouges, 1980 et Typo, 1985.
Ange Amazone, Les Herbes rouges, 1982.
La constellation du Cygne, La Pleine lune, 1985.
Vava, l'Hexagone, 1989.

Poésie

Machine-t-elle, Les Herbes rouges n° 22, 1974.
Que du stage blood, Éditions Cul-Q, 1977.
Terre de mue, Éditions Cul-Q, 1987.
Du côté hiéroglyphe de ce qu'on appelle le réel, Les Herbes rouges nos 102-103, 1982.
Adrénaline, Le Noroît, 1982.
Les coïncidences terrestres, La Pleine lune, 1983.
Jeunes femmes rouges toujours plus belles, Lèvres urbaines n° 8, 1984.
Quartz et mica, Les Écrits des forges et Le Castor astral, 1985.
La lune indienne, Les Écrits des forges, 1994.

YOLANDE VILLEMAIRE

Le dieu dansant

Roman

l'HEXAGONE

Éditions de l'HEXAGONE
Une division du groupe
Ville-Marie Littérature
1010, rue de la Gauchetière Est
Montréal, Québec
H2L 2N5
Tél.: (514) 523-1182
Télécopieur: (514) 282-7530

Maquette de la couverture: Christiane Houle

En couverture: Temple de Chidambaram. Photo: Robert Everts/Rapho.

DISTRIBUTEURS:
• Pour le Québec, le Canada et les États-Unis:
LES MESSAGERIES ADP*
955, rue Amherst, Montréal H2L 3K4
Tél.: (514) 523-1182
Télécopieur: (514) 939-0406
*Filiale de Sogides ltée

• Pour la Belgique et le Luxembourg:
PRESSES DE BELGIQUE S.A.
Boulevard de l'Europe, 117, B-1301 Wavre
Tél.: (10) 41-59-66
(10) 41-78-50
Télécopieur: (10) 41-20-24

• Pour la Suisse:
TRANSAT S.A.
Route des Jeunes, 4 Ter, C.P. 125, 1211 Genève 26
Tél.: (41-22) 342-77-40
Télécopieur: (41-22) 343-46-46

• Pour la France et les autres pays:
INTER FORUM
Immeuble PARYSEINE, 3, allée de la Seine, 94854 IVRY Cedex
Tél.: (1) 49.59.11.89
Télécopieur: (1) 49.59.10.72
Commandes: Tél.: (16) 38.32.71.00
Télécopieur: (16) 38.32.71.28

Dépôt légal: 1er trimestre 1995
Bibliothèque nationale du Québec
Bibliothèque nationale du Canada

ISBN 2-89006-534-0

CHAPITRE I

Le maharadjah de Chidambaram

Un soleil de plomb pesait sur Chidambaram. Toute la ville somnolait dans la fraîcheur des maisons et le silence réparateur des heures consacrées à la sieste. Quelque part, pourtant, un balai de crin crissait sur la pierre. Pieds nus sur le sol brûlant, vêtu d'un pagne décoloré, un homme encore jeune, mais voûté par la misère s'affairait à balayer le seuil du grand temple de Nataraj.

L'intouchable était têtu. On l'avait chassé à maintes reprises, mais il revenait toujours, un balai à la main, prolongeant son labeur bien au-delà de midi. Le pauvre homme espérait peut-être racheter son karma en se dévouant ainsi à nettoyer l'accès à la demeure du dieu dansant.

Ce jour-là, un étranger se trouva à l'entrée du temple à l'heure où seul le balayeur peinait encore. L'intouchable n'accorda qu'un bref regard à l'inconnu drapé dans des vêtements d'un blanc aveuglant et portant le cordon sacré des brahmanes. Il se concentra sur sa tâche, les yeux fixés au sol. L'étranger observa la scène un moment. Puis, franchissant la courte distance qui le séparait de l'homme, il posa la main sur l'épaule du paria et lui dit:

— C'est propre maintenant. Tu peux entrer.

On n'osa plus interdire à l'intouchable l'accès au temple. Il vint y prier tous les jours, assis dans la pénombre bienfaisante.

On ne sut jamais qui répandit cette histoire. Elle donna naissance à la rumeur qui voulait que le brahmane nouvellement arrivé à Chidambaram fût une grande âme puisqu'il avait ignoré l'interdiction de s'approcher d'un hors-caste.

L'étranger se fit le disciple d'Atmananda, le saint local, en qui il avait reconnu son guru après plus de vingt ans d'errance. Le saint homme lui donna l'initiation. Quelque temps plus tard, l'étranger prononça les vœux de moine, revêtit la robe orange et prit le nom de Spandananda.

❑

Un empereur de la dynastie Chola régnait sur le royaume. Son fils, le prince Râjarâja, alors âgé de cinq ans, rêva d'un chariot céleste semblable à celui que le poète décrit dans le *Râmâyana.* Deux voyageurs à la peau sombre le pilotaient.

L'étrange engin s'immobilisa à la hauteur de la terrasse où l'enfant avait l'habitude de jouer. Les deux hommes lui firent comprendre qu'ils venaient le chercher. Le jeune prince monta à bord de leur vaisseau qui s'éleva dans les airs et les emmena sur les hauteurs de l'Himâlaya.

Râjarâja se réveilla de ce rêve avec la conviction qu'il fallait absolument que son père l'emmenât voir le saint homme du village qui avait la faculté de se dédoubler. On racontait que des témoins affirmaient l'avoir vu devant sa hutte au moment même où d'autres assuraient l'avoir rencontré au bord de la rivière.

C'est ainsi que le prince rendit visite à Atmananda en compagnie de l'empereur et de quelques courtisans. Le saint homme fit bon accueil au petit garçon, lui offrant des bananes et du lait. Il le fit sauter sur ses genoux, le chatouilla, lui ébouriffa les cheveux et lui frotta le bout du nez. Râjarâja riait de tout son cœur.

Atmananda déclina l'invitation de l'empereur qui le priait de venir s'installer à la cour; il devait incessamment se mettre en route pour un long pèlerinage jusqu'aux sources du Gange. Le monarque se désola de ce que le saint s'apprêtât à quitter Chidambaram. Celui-ci le rassura: il reviendrait. Il promit même d'aller vivre au palais à son retour. Spandananda, son disciple, veillerait à régler tous les détails en son absence. L'empereur l'en remercia avec empressement et lui fit porter ce soir-là des paniers de mangues et de friandises ainsi qu'une bourse d'or fort généreuse.

❑

Des bandes d'enfants accompagnèrent Atmananda jusqu'à la sortie de la ville. Malgré sa corpulence, il marchait d'un pas vif, si bien que les plus petits avaient du mal à le suivre. Il lui arrivait de prendre un bambin sur ses épaules: celui-ci passait alors tendrement les bras autour du cou noir et tanné comme du cuir d'Atmananda, surpris par l'odeur de gardénia qui émanait du saint homme.

Une fillette fondit en larmes quand il la déposa par terre en faisant signe aux autres qu'il était temps de rebrousser chemin. Il se pencha vers la petite et la regarda droit dans les yeux. Elle se calma aussitôt et raconta ensuite qu'Atmananda avait les yeux bleus.

Tout le monde savait bien que c'était faux, que le saint avait toujours eu les yeux noirs, mais l'enfant n'en démordit pas.

Atmananda poursuivit sa route seul. Il n'emportait rien avec lui et dormait à la belle étoile, se nourrissant de ce que les villageois le long de sa route voulaient bien lui offrir. Ceux-ci recherchaient la bénédiction de l'ermite errant; ils étaient nombreux à vouloir le suivre. Le saint homme finissait toujours par renvoyer les rares braves que le rythme de son pas n'avait pas découragés. Il lui arrivait même de leur jeter des pierres pour qu'ils le laissent en paix.

C'est ainsi que moins d'un an après son départ de Chidambaram, Atmananda atteignit les sources du Gange.

❑

Fils d'un riche gouverneur du Cachemire, Achyûta Sharmâ avait tout quitté pour partir à la recherche de son guru. En dépit de ses efforts, il ne l'avait pas rencontré: nul ne s'était révélé capable de l'arracher à sa condition de créature enchaînée à la roue des naissances et des morts.

Il avait trente ans et vivait dans l'Himâlaya, près d'un torrent où le Gange prenait sa source. Le corps couvert de cendre sacrée, la chevelure longue, la barbe en broussaille, assis en lotus près des eaux tumultueuses, il disciplinait son souffle au point d'en arriver à suspendre sa respiration. Malgré toutes ces macérations, il n'arrivait pas à l'illumination suprême et, n'ayant renoncé au monde que depuis dix ans, il était pourtant impatient de cueillir le fruit de ses austérités.

Achyûta continuait pourtant ses pratiques, jeûnant, souffrant, immobile pendant des heures, impassible au milieu des serpents qui grouillaient autour de lui sans l'attaquer. Au lieu de trouver la paix, il ne trouva que le désenchantement. Il persévéra pourtant, avec une rage de plus en plus féroce. Obnubilé par un désir forcené d'autodestruction, il décida, une année au printemps, de mettre fin à ses jours en se laissant couler dans les eaux glacées du Gange.

Le Bienveillant veillait sur le pauvre Achyûta et voulut que, justement ce jour-là, à cette heure-là, un saint homme venu du sud arrivât à destination.

Atmananda contemplait le Gange quand l'ascète s'avança dans le fleuve pour s'y immerger, si longtemps qu'il devint évident qu'il voulait mourir. Le saint n'intervint pas.

Il s'assit tranquillement sur la rive et attendit. Achyûta émergea enfin, à demi étouffé, toussant, crachant et renâclant. Quelque chose l'avait retenu, au dernier instant: le battement de la vie dans ses veines avait été plus fort que son dégoût. Il dut lutter contre le courant qui était très puissant à cet endroit, et c'est humilié et hagard qu'il se traîna jusqu'au rivage où il aperçut quelqu'un qui le regardait.

L'homme ne dit rien. Achyûta se laissa tomber à côté de lui. Le saint mit la main droite sur le front de l'ascète et exerça une forte pression à la racine de ses sourcils.

Instantanément, une fontaine de lumière jaillit du crâne d'Achyûta, balayant toute pensée. Quand il rouvrit les yeux, rien n'avait changé. Le Gange coulait toujours sous le ciel pâle de l'aube, l'étranger était toujours assis près de lui, immobile et silencieux. Achyûta ne souffrait plus. Il éprouvait, au contraire, une très grande joie.

Il sut alors qu'il venait de rencontrer son guru, celui par la grâce duquel il serait libéré de la souffrance. Il se prosterna, mettant sa vie au service du saint homme dans l'espoir d'accéder un jour au but ultime.

Atmananda prononça des vers en sanscrit qu'Achyûta reconnut. Les sons prirent vie, comme s'il entendait pour la première fois ces mots qu'il connaissait pourtant par cœur pour les avoir répétés pendant dix ans. Il sentit la présence de Shiva, ascète suprême assis au milieu du monde qui, en ouvrant les paupières, mettait en branle l'arborescence de tous les engrenages de la création, tous les mondes, toutes les constellations, donnait vie à tous les êtres et suscitait tous les désirs. Achyûta ferma les yeux et la vision s'évanouit, les roues d'énergie se résorbèrent dans des ténèbres immenses et il n'y eut plus que le mouvement de son souffle, les battements de son cœur et la certitude d'être et de n'être que cela, ce silence.

C'est ainsi qu'Achyûta se fit le disciple d'Atmananda qui parcourait le pays à pied, taciturne, ne parlant que pour citer les *Veda*, répondant par des grognements sibyllins à toute question qui lui était adressée.

Le saint avait des manières on ne peut plus étranges et un très mauvais caractère: il lui arrivait de s'emporter et de malmener les curieux qui, connaissant sa réputation de faiseur de miracles, le suivaient dans l'espoir de le voir exercer ses pouvoirs. On racontait qu'il pouvait matérialiser des objets à volonté, qu'il ne craignait pas les tigres et qu'il pouvait se déplacer à une vitesse foudroyante.

Au cours des trois années qu'il passa à marcher en compagnie de son guru, Achyûta ne le surprit pourtant jamais à se livrer à quelque activité surnaturelle.

Cela lui importait peu: il savait qu'Atmananda était l'incarnation du dieu qui l'arracherait à cette contraction de la conscience cosmique qu'était Achyûta Sharmâ, né au cours du Kâlî Yuga, ce qui ne représentait qu'une infime partie du grand cycle qui n'était à son tour qu'une fraction insignifiante d'un jour cosmique du Créateur.

❑

Le jeune prince Râjarâja se trouvait sur la terrasse avec Spandananda, devenu son précepteur, quand le saint homme fit son entrée au palais, tel qu'il l'avait promis. Grand et gros, vêtu d'un pagne blanc, la peau huileuse et très foncée, Atmananda se tenait dans l'allée centrale du jardin. Le petit garçon le reconnut tout de suite et, se penchant au-dessus du garde-fou, l'appela joyeusement:

— Bâbâ! Bâbâ!

Atmananda lui sourit et, levant la main droite paume ouverte en direction de l'enfant, il lui donna sa bénédiction. Spandananda dévala aussitôt les escaliers pour se prosterner aux pieds de son maître. Il se releva et le salua de nouveau, mains jointes à la hauteur de son front, puis sur son cœur. Le saint homme ouvrit alors grand les bras et prit son disciple contre lui.

Le jeune héritier fut transporté par la révélation que les deux hommes étaient ceux-là mêmes qui l'avaient invité à voyager dans le chariot céleste de son rêve d'enfant.

Il sut que ce serait par leur entremise qu'il connaîtrait la joie suprême de la libération. C'était là ce qu'il désirait le plus au monde et il se réjouit de l'installation d'Atmananda à la cour. Préparée de longue date par Spandananda, celle-ci se fit sans trop de heurts.

Atmananda avait ramené avec lui le yogi rencontré dans l'Himâlaya. L'empereur prit Achyûta Sharmâ en affection, fit de lui son premier ministre et lui offrit une de ses filles en mariage. L'ascète hésitait à se marier mais Atmananda lui fit comprendre qu'il devait accepter. Il obéit. De cette union naquirent trois fils: Ram, Bhârata et Shatrughna. Un quatrième fils, issu d'un second mariage, porta le nom de Lakshman, complétant ainsi le quatuor des fils du roi du *Râmâyana,* poème épique dont Achyûta était tout aussi friand que l'empereur.

❑

Yasmine n'avait que douze ans quand elle fut vendue à Râjarâja qui, ému par la beauté de cette princesse persane faite prisonnière par les Turcs, décida d'en faire sa première épouse. L'empereur avait lui-même, jadis, épousé une Drâvidienne et son fils était de complexion très foncée tandis que Yasmine avait le teint laiteux de ses ancêtres aryens. L'empereur vieillissant approuva le mariage de son fils de quinze ans avec l'étrangère, même si cette union déplut à son nouveau ministre. Achyûta Sharmâ était un brahmane orthodoxe qui se montrait chicanier sur les questions de caste, contrairement à l'empereur qui n'en avait cure et ignora les mises en garde de son conseiller.

De plus, ses jours étant désormais comptés, le bon monarque comprenait que seul l'amour avait quelque valeur en ce monde. Or son jeune fils était follement amoureux de la princesse et cela seul importait.

Yasmine était un pur enchantement: de caractère enjoué, exubérante, elle avait le sourire facile et éclatant. Le jeune prince n'eut aucun mal à apprivoiser la fillette: elle lui confia candidement que le fait d'être tombée en esclavage n'avait en rien assombri son humeur. Elle éprouvait bien sûr de la tristesse d'avoir perdu les siens, mais croyait à la destinée et pensait que, si cela était arrivé c'est que cela était écrit, tel que l'enseignait le Prophète.

N'était-ce pas grâce à sa capture par les Turcs qu'elle était devenue l'épouse du plus beau des princes hindous? Râjarâja reçut le compliment en plein cœur. Non seulement Yasmine n'éprouvait aucun ressentiment mais elle se réjouissait visiblement de son sort.

La vie lui était une perpétuelle occasion de réjouissance. Le jeune prince réapprit à voir par ses yeux émerveillés: les jardins luxuriants où il avait grandi ruisselaient d'une nouvelle lumière. Il fit planter de nombreuses essences de roses car Yasmine raffolait de cette fleur: elle en piquait dans son épaisse chevelure noire, en offrait aux statues de Shiva, de Ganesh et de Durgâ.

Le prince s'étonnait de la voir manifester une telle dévotion pour des déités qui n'étaient pas les siennes. La jeune Persane continuait à prier Allah car elle venait d'une famille convertie à l'islam. Elle récitait chaque jour les versets du Coran et observait le mieux possible les rites de la religion musulmane. Son jeune époux n'y voyait d'ailleurs aucune objection. Il s'amusait d'autant plus de la voir déposer des brassées de roses rouges aux pieds de ce dieu-éléphant qui n'était pas le sien mais pour lequel elle éprouvait une grande affection. Ne jurait-elle pas que Ganesh la regardait chaque fois qu'elle passait devant lui, la suivant de ses beaux yeux de saphir?

Yasmine possédait des ressources d'énergie qui renversaient d'étonnement les dames de la cour au tempérament plus languide. Elle aimait rendre service: elle insista auprès du jardinier pour arroser elle-même ses fleurs préférées tous les matins. Il lui arrivait aussi d'aider le serviteur chargé de porter le lait aux enfants pauvres dans le grand temple de Nataraj. Elle s'arrangeait toujours pour leur offrir des gâteaux de riz dont elle remplissait son panier et tous adoraient cette étrangère qui parlait déjà le tamil assez couramment pour pouvoir bavarder avec eux.

❑

Le vieil empereur, à qui on rapportait, scandalisé, les nouvelles initiatives de la petite princesse, l'excusait toujours avec indulgence, imputant ses extravagances à l'impétuosité de la jeunesse. Les ministres, découragés par la mollesse du potentat, quittaient la pièce en chuchotant entre eux que, décidément, le roi avait fait son temps. Le vieil homme fermait les yeux un moment et, redevenu conscient de la difficulté de sa respiration, bénissait le ciel d'avoir envoyé à sa cour cette délicieuse enfant qui lui rendait visite tous les jours, lui apportant des roses en cachette du médecin, lequel avait décrété que leur parfum capiteux ne ferait qu'aggraver sa maladie respiratoire.

Un jour, vers la fin de la seconde mousson, Yasmine formula timidement une requête à son beau-père: elle souhaitait réaliser quelques changements à la décoration du palais. L'empereur crut que la petite voulait de nouvelles soieries pour sa chambre. Mais non, il ne s'agissait pas de cela. Elle voulait faire construire un bassin au centre du quartier des femmes car celles-ci se plaignaient, disait-elle, d'avoir à se rendre à la fontaine pour puiser l'eau de leur bain. Elle croyait aussi que des coussins damassés seraient plus élégants que les sofas que sa première épouse avait autrefois commandés. Quant au petit temple de

Shiva, il devait être redoré, de toute évidence, et le prêtre qui en était responsable devait apprendre à faire des bouquets moins chiches.

L'empereur, calé contre ses oreillers, la regardait, éberlué. Il en oublia son souffle difficile et éclata de rire, pour la première fois depuis le début de sa longue maladie. Quoi? ce petit bout de femme de douze ans voulait rénover non seulement le quartier des femmes mais le temple et la salle verte du palais? Yasmine songeait à faire agrandir le parc des biches et suggérait qu'on acquière des paons pour les laisser circuler en liberté dans les jardins?

Les joues roses d'enthousiasme, elle débitait ses plans. Elle avait même dessiné des motifs architecturaux qu'elle comptait faire ajouter au pavillon de repos, avec la bénédiction du souverain, bien entendu. C'est quand elle lui montra des échantillons de toile indigo pour les tentures de la salle des fêtes que l'empereur céda.

Il fit venir Achyûta et lui annonça que la princesse allait entreprendre de grands travaux, qu'elle pouvait puiser à discrétion dans le trésor royal et que tous les ministres devaient lui accorder leur entière collaboration pendant la durée de la rénovation.

Quand il s'éteignit, trois mois plus tard, c'est le sourire aux lèvres que l'empereur quitta ce monde. Le palais était transformé en ruche et un bourdonnement incessant avait bercé les derniers jours de sa vie: le vieil homme mourut en paix.

❑

Peu de temps après la mort de l'empereur, Atmananda réunit ses disciples et, après avoir chanté des incantations avec eux, il prit la parole. Il annonça que sa vie s'achevait et qu'il s'apprêtait à bientôt quitter son corps.

L'assemblée en resta muette de consternation. Le nouveau maharadjah pleura au vu et au su de tous. Sa jeune épouse Yasmine en fit autant. Même les courtisans les plus endurcis avaient la larme à l'œil. On avait bien remarqué qu'Atmananda déclinait, mais l'annonce de sa disparition prochaine plongea tout le palais dans le désarroi.

Ce n'est qu'une semaine plus tard que le guru convoqua une seconde assemblée pour annoncer qu'il avait choisi son successeur et qu'il transmettrait à Spandananda le pouvoir de donner l'initiation, faisant ainsi de son disciple le dépositaire du savoir secret d'une longue lignée de maîtres dont il était lui-même issu.

Cinq mois s'écoulèrent avant qu'Atmananda ne s'éteigne. Sa santé s'était quelque peu détériorée mais, pour l'essentiel, le guru avait poursuivi ses activités coutumières.

Un matin, après avoir donné le *darshan*, moment béni entre tous où les dévots venaient le saluer, Atmananda se retira comme d'habitude dans ses appartements mais, à onze heures, il fit appeler son fidèle Spandananda qui constata aussitôt que le guru souffrait d'une forte fièvre. Il s'empressa d'aller quérir le médecin. Celui-ci connaissait toutes les vertus des plantes et pratiquait l'Âyurveda, science de longue vie mise au point par le médecin des dieux lui-même. Malgré les meilleurs soins, la fièvre persista pendant quatre jours.

De tous les coins du royaume et des royaumes avoisinants, les disciples affluaient, sentant que la dernière heure était proche. On entreprit un long chant qui devait durer toute la nuit. L'assemblée des dévots ne s'habituait pas à l'idée qu'on serait désormais privé de la forme physique d'Atmananda.

Spandananda respirait la gravité, une gravité qu'on ne lui avait jamais vue. Il avait dirigé le chant pendant des heures quand Atmananda le fit appeler auprès de lui pour qu'il se livre aux derniers rites funèbres. Le disciple les accomplit, profondément malheureux à la perspective d'avoir à se séparer de son bien-aimé guru mais refusant de donner libre cours à son désespoir.

Atmananda resta assis en lotus pendant des heures, en extase. Spandananda le veilla dans la pénombre de sa chambre tapissée de soie orange. Le guru était installé sur son lit recouvert d'une peau de tigre et la gueule de l'animal, la nuit, prit des proportions fantastiques. Spandananda sut que son maître serait bientôt avalé par le Seigneur de la Mort.

Le guru quitta son corps à l'aube; on l'ensevelit dans la posture yoguique dans laquelle il avait rendu l'âme et on scella le bloc de marbre. On avait transformé la chambre qu'il occupait en tombeau et c'est de là que, désormais, Atmananda veillerait sur le royaume.

Des centaines de disciples défilèrent devant la tombe du saint et ils furent plusieurs à raconter qu'ils avaient alors été miraculeusement guéris d'un mal chronique. D'autres eurent des visions somptueuses et consolantes, d'autres encore des révélations capitales.

❑

À l'occasion des célébrations funéraires, le maharadjah convoqua une centaine de prêtres brahmanes et ordonna la tenue d'un rituel du feu d'une durée de dix jours.

Les brahmanes commencèrent à arriver une semaine avant le début des cérémonies. Ils étaient hébergés dans une aile du palais qui leur était réservée afin qu'ils puissent se livrer aux ablutions et purifications nécessaires. Quand ils passaient, par petits groupes, la foule s'ouvrait devant eux et leur cédait respectueusement le passage, évitant de les souiller en les touchant ou en les dévisageant.

On prépara cinq feux, cinq étant le chiffre sacré du Nataraj auquel le grand temple de Chidambaram était consacré. D'autres temples du Sud étaient dédiés au Nataraj de la terre, de l'eau, du feu et de l'air mais à Chidambaram, capitale de l'empire Chola, on vénérait le Nataraj du cinquième élément, l'éther. Cinq jeunes couples représentant la population tout entière avaient été choisis pour nourrir le feu de beurre clarifié, de sel, de riz, de fleurs et de noix de coco.

Le rituel commença la nuit de la pleine lune, avec les incantations védiques récitées par les prêtres. Un brahmane venu de Tanjore, à force de peiner et de suer, avait enfin fait jaillir le Seigneur du Feu du pieu de bois qu'il manœuvrait depuis plus d'une heure.

Le maharadjah fit son entrée. Simplement vêtu d'une robe de coton safran, tête nue, le jeune souverain se prosterna devant le feu. Tout son corps s'abîma dans la prostration. Il y avait une telle humilité dans son geste que toute l'assemblée en éprouva de la gratitude; quel grand honneur que d'être gouverné par un tel être! Amaigri par le deuil encore récent de son père, Râjarâja était profondément bouleversé par la mort du saint homme qui avait enchanté son enfance.

Il rendit ensuite hommage à Spandananda qui faisait office de grand prêtre. Celui-ci pria le souverain de prendre place sur le siège qu'on avait installé près du feu sacrificiel et il lui lava les pieds.

Les brahmanes poursuivaient la récitation des hymnes védiques tandis que la foule, silencieuse, commençait à ressentir l'énergie du rituel du feu qui brûlait telle une flamme dans tous les cœurs. La chaleur et l'odeur du feu, les lancinantes syllabes sacrées, tout contribuait à la sensation enivrante que Shiva Nataraj lui-même était présent.

Le guru, après avoir délicatement essuyé les pieds du monarque, posa une rose rouge sur le sommet du crâne de celui-ci et récita les incantations destinées à attirer les faveurs du dieu sur le roi et sur son royaume. On remit ensuite au maharadjah plusieurs petits bols d'argent contenant les offrandes.

Il se leva et se dirigea vers le feu. Sa concentration et son calme étaient si grands que tous les regards, sans exception, étaient tournés vers lui.

Il versa les offrandes et la flamme grésilla, s'enfla au contact du beurre clarifié, du sel, de la poudre d'ambre et des parfums. Le visage du souverain sembla soudain plus noir, plus grave et plus noble tandis que la lumière rose émanant du feu l'illuminait.

Spandananda lui tendit alors une noix de coco enveloppée de papier rouge et ornée de trois traits de cendre sacrée et de vermillon. Le maharadjah offrit d'abord le fruit en l'élevant à la hauteur de son front puis, d'un geste parfaitement maîtrisé, il lança dans le feu l'ego de tous ses sujets, en priant le dieu dansant d'en briser l'écorce pour libérer le nectar de l'Atman, le Soi éternel se trouvant à l'intérieur de chacun.

Il déposa ensuite des fleurs aux pieds de la statue d'Atmananda qu'on avait transportée près du feu. Le vieux guru luisait de beurre fondu coulant sur sa peau d'or pur. Ses yeux sertis de diamants semblaient suivre les mouvements du souverain et on aurait dit que la statue était dotée de vie. Après avoir salué une dernière fois le guru de son guru, le maharadjah reprit place sur son siège.

Yasmine s'approcha à son tour du feu sacrificiel et lança, elle aussi, une noix de coco dans les flammes. La souveraine portait un sari de brocart et avait piqué des fleurs de gingembre dans ses cheveux. Elle rayonnait d'une grâce lunaire. Totalement dévouée à son époux, la jeune Persane devenue reine ne vivait que pour l'amour de celui qu'elle vénérait comme son dieu.

Elle retourna s'asseoir auprès du maharadjah tandis que les autres épouses et les courtisans défilaient à tour de rôle pour offrir des noix de coco au feu et des fleurs à l'idole.

❑

Le maharadjah prenait toujours son petit déjeuner sur la terrasse fleurie jouxtant ses appartements. Il le prenait habituellement seul, savourant ces instants de recueillement avant d'être pris dans le tourbillon des tâches quotidiennes.

Râjarâja devenait d'abord conscient de sa respiration puis contemplait son couvert vide, se rappelant que de nombreux enfants n'auraient rien à manger de toute la journée. Chaque jour, il faisait le vœu de faire tout ce qui était en son pouvoir pour que les enfants de son royaume ne meurent pas de faim. Il faisait ensuite un effort pour oublier la souffrance et contemplait la beauté du monde sous la forme des fruits qu'il s'apprêtait à manger. Ce matin-là, le maharadjah avait choisi deux petites mangues bien mûres qu'il pela consciencieusement, plein de gratitude pour la terre qui avait donné naissance à un manguier dont les fleurs, arrosées de pluie, avaient produit ces fruits gorgés de soleil qu'un serviteur dévoué avait cueillis pour les cuisines du roi.

Il répétait onze fois le mantra avant la première bouchée, offrant sa nourriture au feu digestif. La formule sacrée que lui avait transmise Atmananda dès son plus jeune âge avait un grand pouvoir de purification et le souverain la répétait mentalement le plus souvent possible. Râjarâja était issu de la lignée solaire des monarques Chola et, bien que cela fût inhabituel parmi la classe régnante, il n'était pas né dans la caste des guerriers mais dans celle des brahmanes. Il était donc particulièrement soucieux de respecter tous les rites relatifs au culte de ses ancêtres.

Sachant que les aïeux éprouvaient parfois un certain attachement pour les nourritures terrestres, le maharadjah conviait ensuite ses ancêtres à partager son repas et à se rassasier des aliments qu'il absorbait pour soutenir le corps physique à travers lequel ils se perpétuaient.

❑

Pour la commémoration du premier anniversaire de la mort d'Atmananda, on inaugura un nouveau pavillon en plein air que le maharadjah avait fait construire près de la rivière, juste derrière le palais.

L'architecte royal avait imaginé une structure de métal qu'on avait dorée et qui brillait à la lumière des torches disposées tout autour. Les bosquets d'arbres qui bordaient le pavillon étaient engloutis par l'obscurité mais on sentait leur fraîche présence. Dans le silence, entre les mantras, on entendait le gargouillis de la rivière qui coulait rapidement à cet endroit.

Le maharadjah avait à peine dormi, cette nuit-là, absorbé par son service au guru. Spandananda lui avait en effet demandé de traduire en singhalais le discours qu'il allait prononcer car plusieurs disciples de Lanka étaient attendus pour cette célébration. Le maharadjah, qui avait appris cette langue lors du long siège qui avait autrefois permis à son père de faire la conquête de l'île, avait passé une grande partie de la nuit à méditer les paroles du guru et à en faire une traduction qu'il voulait parfaite.

Comme chaque fois qu'il se mettait au service de Spandananda, il avait éprouvé une joie profonde, ce mystérieux contentement que ressentaient les disciples quand ils se livraient à cette discipline. Les textes sacrés expliquaient que le guru pouvait ainsi brûler le karma dont on ne pouvait être délivré autrement. Cela expliquait peut-être l'état d'ivresse qui s'emparait du disciple concentré avec dévotion sur sa tâche.

Après avoir terminé la traduction, le maharadjah se promena dans les jardins. Il connut un moment de bonheur qui suffit à lui faire oublier la fatigue des longues heures de travail ardu. La lune était pleine, le ciel étoilé scintillait; le silence même du jardin semblait saturé d'amour.

Le souverain rentra dans ses appartements, s'étendit au côté de Yasmine qui partageait souvent son lit, posa ses lèvres au creux de la nuque de sa femme favorite qui remua dans son sommeil et se blottit dans ses bras, légère et tendre. Le maharadjah sentit monter le désir mais lui résista, ne voulant pas éveiller la dormeuse, si belle dans le reflet de la lune.

Levé avant l'aube, le maharadjah se rendit au pavillon où le chant se poursuivait toujours et s'immergea dans les syllabes vibrantes d'énergie du mantra. Il pressentit tout à coup la présence du guru et, tournant la tête, il vit Spandananda qui, vêtu de soie jaune brillante, s'avançait d'un pas ample et souple. Arrivé à sa hauteur, le guru lui assena un coup sur la tête du plat de la main et le maharadjah, surpris par le choc, tomba dans une profonde méditation.

Désormais incapable de scander les mantras, il écoutait pourtant avec attention la voix de son guru tandis qu'une vision d'une grande clarté se déployait dans son esprit.

Il survola d'abord une longue allée de marbre blanc, large et droite, dans laquelle étaient incrustés des aigles impériaux de couleur brique. Au début, il devait se trouver entre deux mondes parce que des voiles de gris s'interposaient entre son regard et le sol hypnagogique d'où les aigles disparurent bientôt totalement.

Le maharadjah se rendit compte qu'il devait se trouver au paradis. Au bout de cette allée l'attendait Atmananda, confortablement calé contre des coussins blancs; il avait la tête droite, le sourire moqueur et la beauté sublime de l'illuminé.

Le maharadjah s'avança vers le guru de son guru et se prosterna à ses pieds. Celui-ci caressa le dos du souverain avec une gerbe de plumes blanches qu'il tenait à la main. Quand le maharadjah se releva, il lui chatouilla le visage avec les plumes jusqu'à ce qu'il rie à perdre haleine.

Déposant son sceptre de plumes et prenant le jeune monarque par le bras, Atmananda lui fit visiter les lieux. Le roi s'étonna de ce qu'il se trouvait toujours dans le pavillon: il reconnut la structure dorée, les énormes cristaux que l'architecte avait fait placer dans les huit directions, les arbres perdus dans la nuit, la fraîcheur de l'eau à proximité.

Le pavillon du paradis était cependant beaucoup plus vaste que celui de son royaume et il comprit que l'édifice qu'il avait fait construire était un point de jonction entre le monde terrestre et l'autre monde. Il en éprouva plaisir et gratitude.

Le vieux guru, le tenant toujours fermement par le bras, lui fit faire un tour complet du pavillon: alors que dans son équivalent terrestre, il y avait foule, le pavillon du paradis était à peu près désert. Le maharadjah reconnut pourtant des personnes de sa connaissance qui marchaient tranquillement sur le marbre de l'au-delà, admirant la nouvelle construction. Il salua discrètement l'architecte qui contemplait l'original de son œuvre avec ravissement, croisa Yasmine qui lui sourit, aperçut le moine qu'il venait de nommer précepteur de sanscrit à la cour.

Son cœur se serra d'émotion quand il reconnut sa grand-mère. Cette maîtresse femme était disparue depuis plusieurs années et le maharadjah, qui lui avait voué amour et respect, fut très touché de la revoir. Elle portait le sari blanc des veuves et sa chevelure de neige, coiffée en chignon, rehaussait l'éclat de sa peau noire de Drâvidienne.

Râjarâja huma le parfum d'huile de santal dont elle enduisait sa chevelure et cela lui rappela la tendresse que la vieille femme lui avait toujours témoignée, massant son corps de bébé fragile pour qu'il prenne des forces, le protégeant des cruautés inventées par sa fille pour mater le petit garçon turbulent qu'il avait été.

Le guru prit la vieille dame par le coude et la conduisit à petits pas jusqu'à la lisière des arbres. Une habitation construite autour d'un jardin s'y trouvait; le guru y fit entrer la grand-mère du maharadjah qui réalisa qu'Atmananda veillait au bien-être de son aïeule. Il lui en fut reconnaissant.

Râjarâja retrouva avec joie l'empereur son père. Celui-ci s'inclina profondément devant le vieux guru puis embrassa son fils. Il put aussi s'entretenir avec sa défunte mère qui lui sembla aussi froide que dans ses souvenirs. Il aperçut également sa grand-mère paternelle et ses deux grands-pères. Celui qu'il n'avait pas connu, le père de sa mère, était encore jeune, et le maharadjah fut très ému de rencontrer cet aïeul avec qui il n'échangea pourtant qu'un regard. Au cœur même de ce silence entre son ancêtre et lui, il sentit qu'il ne faisait qu'un avec les êtres humains qui avaient engendré ses parents qui l'avaient à leur tour engendré lui qui était maintenant maharadjah de Chidambaram.

CHAPITRE II

Une vraie source de joie

Naître humain est un privilège dont nous avons si peu conscience. Achyûta rendait grâce au ciel d'être né brahmane et s'acquittait avec zèle des devoirs de sa caste dans chacun des gestes de sa vie quotidienne. Il se désolait cependant, car aucun de ses fils ne manifestait quelque intérêt pour les affaires du royaume. Ils étaient tous les quatre musiciens et n'aimaient que la musique. Or, le ministre du maharadjah de Chidambaram se faisait vieux et désirait ardemment voir un de ses garçons lui succéder.

Dans l'espoir insensé que Shiva veuille bien lui accorder encore un fils, Achyûta fleurit de guirlandes le *lingam* du temple et pria de toute son âme devant la pierre érigée pour que son désir s'accomplisse.

❑

Le maharadjah détourna lentement la tête. Achyûta se releva et prit place parmi les autres ministres, fâché d'avoir été éconduit au vu et au su de toute la cour.

Le jeune monarque n'avait rien de l'empereur débonnaire qui avait régné sur Chidambaram pendant plus de quinze ans. Le prince n'avait hérité de son père que son amour pour les histoires du *Râmâyana*; il invitait d'ailleurs souvent des troupes d'artistes à venir jouer ce grand poème épique au palais.

Râjarâja, se ravisant, rappela Achyûta à ses pieds. Le vieil homme se laissa amadouer par la grâce naturelle qui émanait du souverain; oubliant son orgueil blessé, il revint se prosterner et, fidèle sujet, attendit que son roi veuille bien lui adresser la parole.

Celui-ci garda le silence. Il regardait au loin, sévère et tranquille. Sa beauté effraya Achyûta. Le maharadjah avait la peau sombre, d'un noir presque bleu: une peau absolument parfaite, lisse et lumineuse. Les yeux étaient grands, étirés sur les tempes, la bouche bien dessinée, les dents blanches et régulières, le menton ferme, les pommettes saillantes.

Son rire jaillit soudain, étonnant et frais. D'un ton bienveillant, il demanda au vieillard ce qu'il voulait. La cour s'esclaffa, gagnée par la gaieté qui animait tout à coup le souverain.

Le cœur d'Achyûta se remplit de gratitude. Les mots se bousculèrent dans sa bouche et il bafouilla tant bien que mal sa requête: il souhaitait que le maharadjah lui accordât la permission de s'absenter quelque temps pour se rendre en pèlerinage à Bénarès, ville sacrée sur les bords du Gange.

Il se garda d'ajouter qu'il voulait prier Shiva de lui donner un cinquième fils. Il craignit que le maharadjah ne trouvât cette ambition bien ridicule étant donné son âge respectable. Cependant, il avait vu en rêve le Gange se précipiter du ciel et s'écouler en trombes dans les boucles de la chevelure de Shiva et il était convaincu que les eaux du fleuve pourraient lui rendre sa virilité.

Râjarâja, redevenu sérieux, plongea longuement son regard dans celui de son ministre, soupesant le bien-fondé de la demande. Puis, esquissant un sourire étrangement empreint de compassion, il acquiesça en hochant la tête. Achyûta se releva et c'est un homme radieux qui retourna s'asseoir parmi les hauts dignitaires de la cour.

❑

C'est ainsi que Shambhala fut conçu à Bénarès où Achyûta avait emmené ses deux plus jeunes épouses. Une seule d'entre elles fut féconde: le ministre lui octroya une servante personnelle et lui prodigua mille attentions.

Beaucoup plus jeune que son mari, Bhâvanî éprouvait pour lui un mélange de peur et de dévotion; elle parlait peu, souriait dès qu'elle l'apercevait et lui obéissait avec la confiance d'un jeune animal. Elle était très menue, avait le nez droit, de jolies lèvres et de si beaux yeux qu'Achyûta lui en faisait le compliment à tout moment.

Shambhala ressemblait à sa mère; l'enfant avait la peau couleur de miel et un corps délicat, des chevilles et des poignets si fins que son père avait des gestes mesurés et doux comme pour une statuette précieuse quand il soulevait le bébé de terre pour l'emmener au temple où on chantait la prière dès la tombée du jour.

Assis aux pieds d'Achyûta, au milieu de tous ces hommes debout qui tapaient dans les mains au rythme du tambour, Shambhala s'en donnait à cœur joie, frappant l'une contre l'autre ses menottes malhabiles, son rire cristallin se mêlant au son des clochettes et des tambourins à cordelette que des membres de l'assemblée agitaient en cadence.

Un prêtre balançait une flamme devant la statue en or aux formes généreuses d'Atmananda.

Son successeur assistait à la prière ce soir-là. Assis en lotus dans son fauteuil situé à l'arrière du temple, le guru du maharadjah et de sa cour observait l'enfant qui s'accrochait maintenant aux pans de la robe de cérémonie de son père et en faisait laborieusement le tour. Il en était à ses premiers pas et vacillait encore sur ses petites jambes. De temps à autre, le bambin nichait sa tête entre les mollets de son père puis il levait des yeux pleins d'amour vers Achyûta qui, sans broncher, chantait maintenant les mantras des *Upanishad.*

Oui, il n'y a qu'un feu qui entre dans le monde, pensait Achyûta, tout en prononçant scrupuleusement les syllabes en sanscrit. De larges langues de feu consumèrent soudain sa vision et il perçut que le monde était en feu, qu'un pouvoir mystérieux embrasait son corps pris au centre d'un tourbillon de flammes et son cœur bondit de joie dans sa poitrine tandis que les mantras jaillissaient de sa bouche comme autant de projectiles incandescents.

Spandananda s'aperçut que le petit le regardait; Achyûta avait finalement pris son fils dans ses bras et lui caressait le dessus de la tête. Shambhala souriait mais il y avait une indicible tristesse dans ses yeux. Un instant, le regard du guru et celui de l'enfant se rencontrèrent et Spandananda sut que le petit être portait déjà le poids des attentes de son père.

❑

Le bambin, abandonné contre l'épaule paternelle, dormait profondément tandis qu'Achyûta marchait d'un pas lent dans les jardins royaux, la main posée sur les cheveux de Shambhala dont le corps chaud exhalait un parfum qui lui était cher. L'homme pensait aux liens du sang, à la profondeur du sentiment qu'il éprouvait pour son benjamin.

Il s'arrêta devant le feu perpétuel qu'un brahmane entretenait jour et nuit dans le jardin de roses où les statues des maîtres disparus semblaient s'animer dans la pénombre. Le feu était presque éteint mais il sentit le souffle enveloppant des braises qui rougeoyaient.

Il ferma les yeux. Le feu, bien que mourant, crépitait encore. Un criquet rythmait le silence de son chant strident. Dans le petit temple dédié à Shiva, le prêtre se mit à scander les incantations du soir et, dans le lointain, au-delà des limites du palais, des chiens aboyèrent.

Shambhala remua dans les bras de son père. Celui-ci ouvrit les yeux: un léger nuage de fumée flottait au-dessus du feu, telle une bénédiction jaillie du cœur des hommes pour s'élever vers les myriades d'étoiles qui constellent les nuits les plus noires. Achyûta reprit sa promenade.

L'enfant sentait le cœur de son père battre contre le sien et ces battements réguliers et sourds le réconfortaient tandis qu'il oscillait entre le sommeil et la veille, bien au chaud contre la poitrine de celui qui marchait.

Achyûta déposa un baiser sur son front, croyant qu'il dormait toujours, mais Shambhala se réveilla tout à fait et, apercevant pour la première fois les étoiles, il pointa l'index de sa petite main vers le ciel en babillant quelque commentaire admiratif dans son langage secret. Toutes ces lumières dans le ciel étaient si belles: le bébé n'en finissait plus de renverser la tête. Il étendait ensuite son petit poing vers les étoiles puis, l'ouvrant, essayait de les attraper dans sa main. Mais en vain: les belles lumières ne se laissaient pas capturer.

Achyûta riait du manège du petit et, bientôt, c'est aux dents de son père que Shambhala s'intéressa, plongeant les doigts dans la bouche de l'homme qui les mordilla pour rire et embrassa de nouveau le bambin en le serrant très fort contre lui. Éperdu de bonheur, Achyûta murmura:

— Oh! comme tu portes bien ton nom, Shambhala! Tu es une vraie source de joie, mon petit, une vraie source de joie!

❑

La servante que le ministre avait accordée à sa jeune femme avait pour nom Daya et était la fille d'un brahmane pauvre. Plutôt chétive, Daya possédait pourtant un certain charme et un sens de l'initiative qui plut tout de suite à Bhâvanî.

Bien que l'enfant ait sa propre nourrice, c'était Daya qui lui donnait le bain, le langeait et le promenait assis à califourchon sur sa hanche dans les jardins humides de rosée. Elle l'emmenait tous les matins, très tôt, voir l'éléphant impérial qu'un cornac lavait à grande eau dans la rivière.

Le bébé grimpait sur le dos du gros mammifère qui en barissait de ravissement et le cornac dirigeait ensuite la bête vers la vallée dans laquelle ils s'avançaient un peu plus avant chaque jour.

Les amours de la servante et du cornac se faisant de plus en plus pressantes, ils finirent par confier Shambhala aux soins de l'éléphant qui lui manifestait une tendresse quasi maternelle.

Mais il arriva que l'animal, pris de quelque folle envie de pérégrination, s'éloigna à ce point qu'on ne retrouva Shambhala et sa monture qu'à la tombée de la nuit, à l'orée d'une jungle infestée de tigres où des destriers avaient été dépêchés dès l'annonce de la disparition du bambin.

Shambhala en réchappa sans la moindre égratignure mais on renvoya le cornac. Quant à Daya,

Achyûta lui fit une telle colère que Bhâvanî dut s'interposer pour obtenir la grâce de la servante que le ministre menaçait de la bastonnade. Achyûta renonça à lui administrer un châtiment physique mais ne décoléra pas pour autant, injuriant abondamment la fautive. Pour finir, il la chassa, sans même lui laisser le temps de prendre ses affaires, insensible à ses larmes et aux cris de désespoir du petit Shambhala qui s'accrochait à son sari.

❑

Tous les midis, on chantait le *Rudram* au palais. Le maharadjah goûtait particulièrement cette incantation majestueuse au Seigneur des Larmes.

Il manifesta du contentement quand Achyûta poussa l'audace jusqu'à emmener son plus jeune fils au palais pour le chant du midi, pourtant réservé aux seuls courtisans et dignitaires de haut rang. Le père avait bien du mal à se séparer de cet enfant qu'il adorait et qu'il trimballait partout au grand délice de toute la cour, car c'était un petit garçon rieur et charmant.

Les premiers temps, Shambhala s'endormit très vite, confortablement installé en travers des genoux de son père assis sur l'épais tapis de Perse de l'antichambre royale. Mais les jours et les semaines passèrent et le petit, s'étant endormi dès les premiers mots, prit bientôt l'habitude de se réveiller un peu avant la fin du chant.

Chaque fois, il ouvrait tout à coup les yeux et, le regard rivé à celui de son père, il écoutait les syllabes qui sortaient de sa bouche. Au bout de quelques mois, il ne s'endormit plus du tout. Bien au chaud dans le giron paternel, son petit poing dans la bouche, l'autre main se tirant l'oreille, il écoutait les mantras du début à la fin, l'air pensif.

De sorte qu'un jour, peu avant son deuxième anniversaire, l'enfant, au lieu de prendre place sur les genoux de son père, s'assit à côté de lui et scanda à l'unisson toutes les syllabes de la première partie du chant sans commettre la moindre erreur.

Au moment d'entonner la deuxième partie, encore plus complexe que la première, Achyûta s'attendit à voir son fils redevenir le bébé qu'il était encore et se recroqueviller contre lui. Mais, le dos parfaitement droit, ses jambes graciles repliées dans un lotus parfait, Shambhala chanta aussi toute la deuxième partie sans se tromper une seule fois.

Le ministre s'enorgueillit de la performance de cet enfant qu'il savait exceptionnel, mais il ne put s'empêcher de regretter le petit animal somnolent qui avait réchauffé son vieux cœur fatigué.

❑

Il y avait, à proximité du palais, sur la route conduisant au village voisin, des sources thermales qu'Atmananda avait autrefois fréquentées. L'établissement était public et accessible à tous. Achyûta aimait s'y rendre aux heures les plus propices à la méditation.

Il quittait le palais alors qu'il faisait encore nuit noire et marchait sur la petite route de terre, se guidant à la lumière des étoiles et de la lune ou s'avançant dans des ténèbres impalpables avec l'instinct sûr de celui qui est sans peur.

L'employé des bains lui ouvrait la cabine de céramique où l'eau bouillonnait déjà. Achyûta se dévêtait en répétant mentalement le mantra que lui avait donné Atmananda, détachant lentement chacune des cinq syllabes sacrées tout en se massant soigneusement à l'huile de sésame selon les prescriptions de l'Âyurveda. Il plongeait ensuite son long corps flétri par l'âge dans le bain chaud et réconfortant, savourant un moment de paix et de confort physique qui le régénérait.

Les sels minéraux que contenait l'eau de source tonifiaient ses membres ankylosés. Après dix minutes, son cœur battait la chamade et le vieil homme quittait à regret le bain et se reposait quelque temps. Il enroulait ensuite un pagne propre autour de ses maigres jambes, s'enveloppait les épaules dans un châle de cachemire et, assis sous un manguier derrière l'établissement thermal, il méditait profondément.

Sa méditation l'entraînait toujours aux pieds de Shiva, immobile dans sa posture d'ascète, vêtu d'une peau de tigre, des serpents enroulés autour du cou. Achyûta s'abîmait dans une contemplation des plus profondes, ses traits s'imprégnant peu à peu de la tranquillité absolue qui était celle du Bienveillant, le visage blanc de cendre sacrée, les yeux clos sur son extase cosmique.

Le dieu prenait parfois des dimensions extraordinaires: son corps devenait aussi haut et large que le mont Kailas dans l'Himâlaya et le ministre méditant n'était plus qu'un insecte écrasé sous le poids du Divin. À d'autres moments, ils étaient face à face, Shiva et lui, formes humaines éperdues de transcendance, miroirs l'une de l'autre. Il arrivait que le dieu se transformât en sa Shakti et le vieil homme s'unissait alors à l'épouse de Shiva, exalté par les palpitations de sa chair cosmique, terrifié par son indomptable énergie sexuelle.

Achyûta rentrait au palais alors que les premières lueurs de l'aube blanchissaient le ciel nocturne. Il rejoignait les autres au temple pour la récitation de l'hymne au guru. Le chant se terminait au moment où les premiers rayons du soleil levant illuminaient Spandananda qui souriait alors à l'assistance, emplissant d'une paix exquise le cœur de ses disciples.

Le maharadjah s'asseyait toujours au premier rang, aux pieds de son guru qui, lui, trônait dans son riche fauteuil. Cette humilité du souverain irritait fort la plupart des courtisans. Achyûta, quant à lui, n'en respectait que davantage son roi qui savait reconnaître le vrai pouvoir, celui de l'Atman, l'âme de l'univers, dont Spandananda était l'incarnation vivante.

❑

Le soleil s'élevait rapidement dans le ciel, large globe de feu jailli de l'horizon. Le maharadjah et sa première épouse effectuaient leur promenade matinale autour du vaste pré qu'on irriguait plusieurs mois par an afin de lui conserver sa verdeur. Râjarâja était vêtu de lin et allait tête nue. À quelques pas derrière lui marchait Yasmine, le teint rehaussé par la soie grège de son sari. Ils étaient tous deux pieds nus car le médecin de la cour enseignait qu'il n'y avait rien de mieux pour tonifier le système nerveux que l'herbe humide de l'aurore.

Devant eux couraient leurs deux grands chiens roux à poil ras. L'un d'eux avait l'éclat de l'intelligence dans ses prunelles dorées: tous les matins, à l'heure de la méditation, le serviteur qui en avait la garde recouvrait l'animal d'un châle richement brodé et le guru aimait à expliquer aux visiteurs interloqués que l'un des chiens du maharadjah «méditait». Spandananda éclatait ensuite de rire, demandant comment il se faisait que même un chien méditait alors que plusieurs de ses dévots invoquaient toutes sortes de raisons pour se soustraire à cette pratique pourtant essentielle si on voulait atteindre la paix de l'esprit.

Les chiens bondissaient dans l'herbe puis revenaient sur le sentier, courant au-devant de leur maître qui, souriant, leur indiquait d'un geste de la tête de reprendre leur course folle à travers champs. Des courtisans avaient l'habitude de se poster le long de l'allée bordée d'arbres qui entourait le pré pour contempler le roi au cours de sa promenade. Spandananda accompagnait parfois le couple princier et la foule était alors plus dense, chacun recherchant la bénédiction du guru dès le début du jour.

Achyûta avait pour mission d'éviter que les curieux n'encombrent le sentier. Son jeune fils sur les talons, le ministre allait à grandes enjambées, l'ourlet de sa robe alourdi de rosée lui battant les mollets mais ne compromettant en rien la dignité qu'il mettait à accomplir sa tâche. Très souvent, Shambhala s'échappait et allait courir avec les chiens. Le maharadjah et sa femme se réjouissaient de la vivacité du bambin et le laissaient volontiers gambader à leurs côtés.

Ce matin-là, Râjarâja avait décidé de promener les cinq vaches royales. Ornées de manteaux rouges et or, les belles bêtes évoluaient à petit galop devant les chiens dont les jappements se mêlaient aux fous rires de Shambhala qui trottait derrière. Les cloches des vaches tintinnabulaient. Les courtisans massés autour de Spandananda qui venait de surgir crièrent une salutation au guru.

Le maharadjah courant derrière les vaches, les chiens et l'enfant s'arrêta net et, levant les mains à la hauteur de son front, il se tourna vers Spandananda qui daignait bénir de sa présence la promenade royale. Puis, riant aux éclats, il rattrapa Shambhala, s'en empara, le souleva de terre et, l'asseyant à califourchon sur le cou massif d'une des vaches, il demanda:

— Es-tu heureux, petit? Es-tu heureux?

Shambhala regarda le visage creusé de fossettes de rire mais, pour toute réponse, il battit joyeusement des mains et des pieds, cherchant à faire courir sa monture.

Yasmine allait tranquillement, loin derrière, le regard brûlant d'amour. Elle attendait un premier enfant et n'en avait encore rien dit à son mari. De le voir s'amuser autant avec le fils du ministre lui sembla un signe du ciel. Oui, le jour même, elle apprendrait la nouvelle au maharadjah.

Les vaches couraient toujours, Shambhala s'agrippant à l'une d'entre elles, les chiens les talonnant et le maharadjah fermant la procession, les bras levés au-dessus de la tête, extatique, tandis que la petite foule lançait des cris de joie.

Spandananda, ses robes orange enflammées par le soleil levant, observait le roi. Des yeux du guru jaillissaient des étincelles et quiconque avait la faculté de voir ce qui n'était visible qu'aux yeux du corps subtil pouvait constater qu'un fin réseau de lignes de feu allait du regard du maître au bout des doigts du souverain qui caracolait toujours, bras levés, à bout de souffle.

❑

Le maharadjah dut prendre une quatrième épouse afin de s'allier au souverain dont le royaume jouxtait le sien. Achyûta fut chargé d'organiser la cérémonie et les préparatifs des fêtes. Il fit construire une cité d'une centaine de tentes à proximité du palais: il fallait, en effet, pouvoir loger presque tous les notables du royaume voisin!

Le jour du mariage arriva enfin, après de longs mois de labeur intense. On avait acheté des tapis, des meubles, des présents pour les invités de marque, sans compter les provisions de mets et d'épices, de parfums et de tissus. On avait même installé trois nouveaux jets d'eau qui rafraîchissaient l'atmosphère. Achyûta n'était pas peu fier de l'importance des travaux qu'il avait réussi à mener à bien.

Le matin de la cérémonie, le ministre revêtit la tunique dorée qu'il avait fait tailler pour l'occasion. Il la portait sur un pantalon ample de même tissu. Il aida son fils à enfiler un habit de soie jaune pâle à pantalons bouffants et à se coiffer d'un turban orné d'une aigrette qui lui donnait tout à fait l'air d'un petit prince.

C'est ainsi que, somptueusement vêtus, le vieil homme de haute taille, très droit malgré son âge, et son délicat petit garçon se présentèrent chez le maharadjah qui achevait sa toilette et ajusta son diadème tout en leur souhaitant le bonjour.

Achyûta s'empressa d'énumérer les derniers détails relatifs au protocole car, en tant que grand intendant des fêtes, il avait le souci que tout se déroulât de façon impeccable. Le souverain enfila des bagues d'or et, prenant à la main ses babouches rehaussées de pierreries, dévala pieds nus les degrés de marbre conduisant à l'allée centrale du parc qui menait à la cité des tentes où on n'attendait plus que lui pour commencer la cérémonie.

Le ministre le suivit, rouge de colère. Le roi risquait d'injurier son invité avec sa manie d'aller pieds nus! Même le jour de son mariage! Achyûta maudit encore en pensée le médecin de la cour qui exerçait une aussi mauvaise influence sur le jeune monarque mais il se reprit et chassa la mauvaise pensée: il venait d'apercevoir Spandananda qui, le regard sévère, venait droit sur lui.

Le guru s'arrêta à quelques pas du ministre qui s'était immobilisé et lui demanda sèchement ce qui le contrariait. Achyûta prit immédiatement conscience de la folie qui s'était emparée de lui; c'était jour de fête et il ne convenait pas de laisser la colère lui empoisonner l'esprit.

Il grimaça un sourire, implorant du regard le pardon du guru. Celui-ci, toujours sévère, laissa tomber, tout en poursuivant sa route:

— La colère te perdra, Achyûta, la colère te perdra.

❑

À ces mots, Achyûta se trouva transporté dans le temps. Il se revit tel qu'il était dans sa jeunesse alors qu'il vivait près des sources du Gange, mendiant sa nourriture, le corps nu, la chevelure remontée en chignon sur son crâne. Il était en colère contre les dieux, contre la vie, contre lui-même. Le rire essoufflé de Shambhala ramena brusquement le ministre au présent, bien longtemps après sa tentative de suicide avortée. Vêtu d'or et de soieries, il s'apprêtait à célébrer le mariage de son souverain avec la fille du roi voisin. Le vieil homme secoua la tête pour dissiper le souvenir du jeune ascète acariâtre qu'il avait été et se remit à marcher en direction de la cité des tentes.

Il aperçut bientôt ce qui faisait jaillir le rire en crécelle de son fils: Râjarâja s'était saisi de l'enfant et le balançait à bout de bras, le projetant dans les airs pour le rattraper au vol.

Achyûta sentit la colère gronder en lui de nouveau: non seulement le souverain était toujours pieds nus, mais il manifestait une terrible insouciance alors que lui, maître d'œuvre de ces fêtes, sentait tout le poids du monde peser sur ses épaules! Il reconnut aussi, dans son for intérieur, qu'il était jaloux du plaisir évident qu'éprouvaient Shambhala et le jeune monarque à se trouver ensemble.

Les propos de Spandananda lui revinrent: «La colère te perdra, Achyûta, la colère te perdra.» Tournant les talons, le ministre se dirigea d'un pas ferme vers le tombeau du saint où il se jeta à plat ventre sur la dalle de marbre. Paumes ouvertes en signe d'imploration, versant des larmes de rage, il pria le maître disparu de lui venir en aide pour dominer cette tendance qu'il avait à s'emporter et à tempêter contre tout ce qui l'irritait.

Il entendit alors le pas de quelqu'un qui s'approchait. Il sut que c'était Spandananda. Dès la cérémonie d'intronisation, Achyûta avait tout de suite reconnu que son bien-aimé guru survivait dans son successeur. Malgré le long deuil qu'il avait fait à la suite de la disparition du corps physique du vieux maître, Achyûta était devenu un disciple sincère de Spandananda. Mais quand il brûlait du feu du yoga, quand la souffrance devenait intense, il venait se réfugier dans le tombeau du disparu, se remémorant les moments de grâce qu'il avait connus auprès de lui.

Sa relation avec Spandananda avait toujours été plus difficile: celui-ci se montrait d'une sévérité intransigeante envers ce disciple qui, malgré une très longue pratique de la vie spirituelle, n'arrivait toujours pas à remporter le combat contre son ennemi intime: la colère.

Le guru s'était arrêté tout près de la forme étendue d'Achyûta. Celui-ci aperçut le bord de sa robe orange et supplia mentalement:

—Je souffre. Aide-moi.

Le guru ne dit rien. Du fond du cœur d'Achyûta montèrent alors deux syllabes sacrées: *spanda.* Le mantra se mit à se répéter à une vitesse prodigieuse: *spanda, spanda, spanda, spanda, spanda.* Le temps se dilata et Achyûta revécut chaque occasion où il était sorti de ses gonds, chaque colère qu'il avait faite, chaque excès de furie qui l'avait emporté. Ces années de courroux, ces années perdues à perturber l'existence des autres et la sienne, tout cela, ce n'était que la pulsation de la *spanda* qui était le mouvement même de la vie créée par le Bienveillant qui, en ouvrant les paupières, met tout le monde en branle. Au centre de chaque colère, il n'y avait que cela: *spanda, spanda, spanda*! Cet abîme de souffrance et de jalousie dans lequel il s'engouffrait aujourd'hui, alors qu'il était si vieux et si peu sage, c'était encore une fois *spanda*.

Spanda que tout cela, *spanda*. Shiva, aujourd'hui, se manifestait sous la forme d'un vieillard colérique. Soit. Achyûta se releva, abandonnant sur la dalle froide du tombeau la dépouille de ce vieil homme et ce fut un être neuf, rasséréné, le regard clair, qui se rendit jusqu'à la cité des tentes.

Le maharadjah avait enfin enfilé ses babouches et, penché au-dessus de lui, bavardait avec l'enfant. Comme il s'approchait d'eux, le ministre entendit ce que le souverain disait à son fils. Râjarâja, le regard plein de lumière, répétait simplement le nom du bambin:

— Shambhala...

❑

Le petit écoutait, l'air grave. C'était comme si, chaque fois que le maharadjah prononçait son nom, un étrange vacillement intérieur se produisait, comme si une petite flamme le berçait de l'intérieur, comme si son âme même se sentait appelée. «Shambhala», disait le maharadjah, et la petite flamme s'élevait un peu plus haut; «Shambhala» et son cœur battait plus fort, son cœur battait de joie. Son père lui avait toujours dit qu'il l'avait appelé Shambhala parce qu'il serait sa source de joie...

Le souverain souleva Shambhala et l'assit au creux de son coude. C'est ainsi que le maharadjah fit son entrée dans la cité des tentes, un petit garçon à l'air très sérieux dans les bras, un petit garçon qui observait les dignitaires en costume d'apparat, les toiles qui claquaient au vent, le vert brillant de l'herbe, la vaisselle d'or et d'argent, les montagnes de fruits et de noix. Shambhala voyait tout et entendait tout: les clochettes aux pieds des danseuses en sari rouge, le barrissement des éléphants, la clameur de la foule, le jet des fontaines. Il humait des parfums délicieux d'ambre et de musc, des fragrances de cardamome et de vanille, et il appréciait la sensation de la main chaude du roi qui lui tapotait rythmiquement le dos, rassurante. Ses sens étaient en éveil, mais même s'il voyait et s'il entendait tout avec une acuité singulière, s'il sentait tout, de la chaleur du soleil à l'amour du maharadjah, le petit Shambhala gardait pourtant un visage parfaitement impassible. Il s'était réfugié dans le balancement doux d'une flamme qui dansait dans son cœur, éternelle, impérissable.

❑

La cérémonie nuptiale était terminée depuis longtemps. Il était tard dans la nuit mais les réjouissances se poursuivaient toujours, à la lumière des torches qu'une armée de serviteurs entretenait constamment. Achyûta allait de tente en tente à la recherche de son fils qui devait s'être assoupi dans un coin.

Il le trouva en effet, à l'écart, endormi sur un tapis. Le bambin avait la joue appuyée contre le pied de la première épouse du maharadjah. Yasmine était assise sur un sofa, une jambe repliée sous elle. Splendide dans son sari rose, la reine avait l'air triste et le regard perdu dans le vide.

En habile courtisan, Achyûta évita de troubler sa sombre rêverie: il savait que la souveraine se remettait mal d'avoir perdu à la naissance le fils qu'elle avait tant espéré donner au maharadjah. Ce quatrième mariage contribuait à sa détresse: la nouvelle épouse, comme les deux autres épouses royales, allait sans doute produire un héritier dans moins d'un an. Yasmine était la seule des femmes du maharadjah à ne pas être mère. Elle n'avait alors que seize ans et le médecin avait beau lui répéter qu'elle enfanterait sans doute de nombreuses fois, le deuil de cet enfant qu'elle avait porté avec tant d'amour la déprimait profondément.

Le ministre n'osa pas s'approcher de son fils: Shambhala dormait comme un petit chat, confiant. La reine était absorbée dans ses pensées.

C'est ainsi que Râjarâja les trouva, quelques minutes plus tard, silencieux et immobiles. Ce fut Yasmine qui réagit la première: elle rassembla tout son courage et sourit bravement à son mari. Achyûta s'empara prestement du petit endormi et se retira aussitôt.

Le roi s'agenouilla devant son épouse adorée et, très tendrement, il embrassa son pied nu. Le maharadjah partageait le chagrin de sa femme. Yasmine prit dans ses mains la tête du souverain et, l'attirant contre elle, elle pleura.

❑

Spandananda avait fait d'Achyûta Sharmâ un maître de danse, comme il était de tradition dans les royaumes du Sud. Celui-ci transmit son savoir à ses fils qui devraient à leur tour le transmettre à leur propre descendance. Les rythmes révélés du Bhârata-natyam étaient ensuite enseignés aux danseuses sacrées attachées au temple du dieu dansant.

Le ministre avait donc appris la gamme heptatonique à ses quatre fils musiciens qui savaient aussi réciter les syllabes rythmiques correspondant aux mouvements à exécuter par la danseuse.

Les quatre jeunes gens eurent tôt fait de montrer la danse à leur petit frère qui, non content de se remémorer avec une parfaite exactitude les pas et les expressions du visage, était aussi capable d'exécuter les mouvements de base et de les enchaîner.

Un jour, alors que Shambhala avait à peine quatre ans, Achyûta surprit son fils en train de danser dans la fraîcheur de sa chambre à l'heure de la sieste. Le garçonnet claquait de la langue pour scander les rythmes et répétait des *mudrâs*, ces gestes mystiques faits avec les mains dont l'alphabet compliqué lui semblait déjà familier.

Ses petits doigts, que Bhâvanî avait peints en rouge et dont la laque commençait à s'écailler, se déployaient pour former des lotus ou des cornes, des couronnes ou des oiseaux. L'enfant était tellement concentré qu'il n'entendit aucunement le pas de son père.

Achyûta s'arrêta sur le seuil et, dissimulé dans l'ombre, il regarda danser Shambhala. Le petit avait les joues brûlantes d'excitation et le corps léger comme celui d'une fillette. Le ministre en éprouva du déplaisir.

Il interdit formellement à ses quatre fils les plus âgés d'inciter leur frère à danser et chapitra sévèrement son benjamin, tentant de lui faire valoir que s'il était vrai que Shiva lui-même avait créé cet art, il était cependant indigne d'un mâle de s'y livrer. Seules les femmes avaient le devoir d'exécuter la danse; les hommes, quant à eux, avaient reçu en partage le rôle beaucoup plus noble de conservateurs des rythmes.

Les cinq fils d'Achyûta passèrent outre au commandement de leur père. Dès que celui-ci s'absentait pour quelque temps, ils sortaient leurs tambours et leurs *vînâs*: le petit Shambhala, les chevilles ornées de grelots et les poignets cerclés d'or, apprenait non seulement les invocations et les figures dansées mais aussi les longues séquences de danse pure que les danseuses sacrées ne maîtrisaient qu'au cours de la dernière année de leur formation.

Bhâvanî observait son enfant à la dérobée, n'osant approuver ouvertement une aussi flagrante désobéissance aux ordres paternels. Mais la jeune femme ne pouvait s'empêcher d'admirer la grâce souveraine qui s'emparait du petit être dès que ses pieds commençaient à marteler le sol de marbre de la cour intérieure de leur maison.

❑

Les quatre premiers fils d'Achyûta aimaient se retrouver dans les héros du *Râmâyana*, vaste poème racontant les exploits du Seigneur Râma. Les frères de Shambhala l'emmenèrent à une représentation donnée à la cour par des acteurs de Tanjore qui, plusieurs soirs durant, jouèrent les différents épisodes de la vie de l'avatar de Vishnu descendu sur terre pour vaincre les démons.

L'acteur qui incarnait Râma avait le corps recouvert de teinture bleue: sa haute stature et la correction parfaite de son maintien lui donnaient tout à fait l'allure d'un dieu. Dans le rôle des démons, des géants d'un royaume du Nord avaient recouvert leur peau d'une pâte verte d'aspect repoussant tandis que les rôles de singes étaient tenus par des Drâvidiens au physique plus délicat. Quant à Sita, l'épouse bien-aimée de Râma, elle avait le teint clair et des yeux sublimes.

Shambhala ne comprenait pas très bien l'histoire et somnolait pendant les changements de décor. Dès le lendemain, cependant, son frère aîné l'assit sur ses genoux et lui résuma les scènes qu'ils avaient vues la veille.

Le fait que les personnages de la pièce portaient les mêmes noms que ses frères confondait l'enfant et il ne cessait de demander avec angoisse si Ram devrait effectivement s'exiler dans la forêt pendant quatorze ans. Celui-ci expliquait patiemment que c'était bien ce qui était arrivé au dieu Râma mais que lui, Ram, même s'il portait le nom du héros, avait un destin différent. Non, il ne serait pas chassé du royaume par son père. D'ailleurs, Achyûta n'était que ministre et non roi. Malgré toutes ces explications, Shambhala craignait de perdre son grand frère et ne le quitta plus de la journée.

Le daim magique de l'histoire fascina l'enfant. Il refusa de croire qu'il s'agissait d'un déguisement du méchant roi des démons pour mieux tromper Râma et s'emparer ainsi de sa femme. Le petit garçon força son frère à courir les jardins avec lui à la recherche de l'animal enchanté.

Le deuxième soir de représentation, quand il vit le démon à dix têtes et à vingt bras s'emparer de la femme de Râma, le petit Shambhala se mit à trembler d'effroi. Son frère Lakshman le prit contre lui pour le rassurer et lui murmura doucement à l'oreille que quelqu'un allait bientôt apparaître pour aider Râma à retrouver Sita, un être prodigieux. Il s'appelait Hanumân et allait bientôt mettre sa vie au service de Râma.

— Hanumân...

Le petit garçon plaqua un baiser sur la joue de son frère et attendit patiemment l'arrivée d'Hanumân.

L'homme-singe s'avança sur la scène, majestueux. L'acteur était aussi grand que les géants qui tenaient les rôles de démons. La peau de son visage avait été enduite de craie et il portait un costume de fourrure blanche et des bijoux. Il se prosterna devant Râma, reconnaissant en lui son maître.

Ce soir-là, alors que les cinq fils du ministre rentraient à la maison, ils rencontrèrent Spandananda. Lakshman tenait Shambhala à moitié endormi dans ses bras. Le guru, s'arrêtant à leur hauteur, prit le menton du petit dans sa main et lui demanda s'il aimait le *Râmâyana*. Shambhala fit signe que oui. Lakshman dit que leur petit frère aimait Hanumân par-dessus tout.

— Oh! Hanumân... fit le guru. Aimerais-tu servir le guru comme Hanumân, petit?

Shambhala se mit à taper dans ses mains, enthousiaste.

— Alors, tu me serviras dès demain, ajouta Spandananda.

L'enfant leva les deux bras en s'exclamant.

Tous éclatèrent de rire devant un tel élan et Lakshman promit d'emmener le petit au guru dès le lever du jour.

Bhâvanî, la mère de Shambhala, préparait elle-même les repas de Spandananda. Elle se levait bien avant l'aube pour méditer puis, tandis que les versets de l'hymne au guru résonnaient dans le temple, elle préparait le lait chaud que Spandananda avait l'habitude de boire à cette heure-là.

Lakshman réveilla Shambhala après le chant du matin. Le soleil se levait. Le petit garçon courait à travers les pièces de la maison du ministre, excité à l'idée d'aller servir le guru comme Hanumân. Lakshman le rattrapa, lui fit faire quelques pirouettes, l'emmena à la fontaine faire ses ablutions, lui drapa les hanches dans un pagne de coton qui lui descendait jusqu'aux mollets et, le prenant contre lui, lui demanda de se calmer un peu. Shambhala appuya sa tête sur l'épaule de son frère préféré et battit des paupières à quelques reprises comme Daya le lui avait autrefois appris, au grand désespoir de sa mère. Lakshman ne put résister au charme du petit garçon et, le lançant dans les airs, il le fit rire aux éclats.

Il le conduisit chez le guru qui, prenant l'enfant par la main, l'emmena dans sa cuisine personnelle où Bhâvanî était en train de préparer la pâte pour les galettes du repas de midi. Shambhala se lava consciencieusement les mains et écouta attentivement sa mère tandis qu'elle lui expliquait comment mettre un peu de farine de blé sur ses mains avant de se saisir d'une boulette de pâte qu'il devait ensuite aplatir avec la paume de la main pour en faire une galette bien ronde.

Ce n'était pas aussi facile que Shambhala ne l'aurait cru mais, après quelques ratés, il réussit à améliorer sa technique et s'absorba bientôt avec plaisir dans cette tâche, silencieux, pendant que Bhâvanî couvait son fils du regard.

Ce soir-là, quand la troupe d'acteurs vint saluer après avoir joué la scène du retour au royaume d'Ayodhyâ, Shambhala s'attrista de ce que la belle histoire fut déjà finie. Pendant des semaines, il supplia l'un ou l'autre de ses frères de lui raconter encore l'histoire de Râma mais ceux-ci se lassèrent au bout d'un moment.

Seul Lakshman montra de l'indulgence et accepta encore, à l'occasion, de lui raconter des segments de l'histoire. Il évoquait le cercle de protection que le frère de Râma avait dessiné autour de Sita, l'envol du grand singe au-dessus de l'océan pour atteindre Lanka ou encore le réveil du monstre Kumbhakarna. Celui-ci, insistait le conteur, ne se réveillait qu'une seule journée tous les six mois. Lakshman imitait ses bâillements avec une conviction terrifiante qui faisait les délices de Shambhala.

❑

Six fois par jour, des cérémonies avaient lieu dans le grand temple de Nataraj. Les rites étaient accomplis avec grand soin par les descendants des trois mille ermites parmi lesquels Shiva avait créé sa toute première danse.

Selon la légende, dévasté par la mort de sa femme bien-aimée, Shiva errait sur la terre absorbé par son ascèse, indifférent à la beauté du monde. Il arriva un jour dans un ermitage où se trouvaient rassemblés les plus grands ascètes de l'époque. Ils connaissaient si bien les *Veda* qu'ils en étaient devenus arrogants au point de mettre en doute la supériorité de Shiva. Ils ne reconnurent pas celui-ci et osèrent se vanter de leur savoir devant lui.

Mystérieusement, toutes les femmes de ces chercheurs de vérité devinrent amoureuses du bel étranger. Fâchés, les hommes allumèrent un feu, et, utilisant leurs pouvoirs surnaturels, firent apparaître un tigre pour effrayer l'ascète. Sans la moindre crainte, Shiva s'empara du tigre, lui arracha la peau et s'en ceignit les hanches. Des cobras sifflèrent alors dans les flammes: Shiva s'en fit des colliers.

Les ermites créèrent alors un démon maléfique qui s'élança entre les jambes de l'intrus. Shiva l'écrasa du talon et se mit à danser sa danse cosmique. Il prit des proportions gigantesques, son pas fit trembler la terre, effrayant les saints hommes qui réalisèrent alors que l'inconnu dont s'étaient énamourées leurs épouses était Shiva lui-même.

Le maharadjah de Chidambaram aimait franchir le seuil de la demeure du dieu dansant pour s'absorber dans la répétition des mantras védiques pendant que les prêtres baignaient le *lingam* de cristal dans le lait de coco et le yaourt.

La cérémonie s'achevait quand un changement subtil dans les vibrations du lieu vint troubler la méditation de Râjarâja. Quelqu'un avait peur. Il sentait très nettement que quelqu'un était terrifié. Lentement, il ouvrit les yeux.

Shambhala se tenait à l'entrée du sanctuaire, à bout de souffle, hésitant. Le maharadjah lui ouvrit les bras. L'enfant s'y précipita et, blotti contre le jeune roi, se calma peu à peu.

Quelques minutes plus tard, le maharadjah comprit la cause de la frayeur de Shambhala. Achyûta émergea en effet dans l'embrasure, hirsute et rouge de colère. Sa peau claire avait fâcheusement tendance à trahir les accès de rage que Râjarâja ne connaissait que trop bien chez son ministre.

Celui-ci aperçut son fils dans les bras du roi et s'en retourna aussitôt, doublement furieux. Le maharadjah referma ses bras sur Shambhala qui le regardait maintenant avec des yeux empreints de désespoir. Achyûta devait avoir, encore une fois, surpris son fils en train de danser. Cet enfant ne se résignerait donc jamais à obéir aux ordres de son père?

Shambhala savait bien que son *dharma* était d'obéir à son père: le Seigneur Râma lui-même ne s'était-il pas exilé dans la forêt pendant quatorze ans pour respecter le *dharma*? Accomplir son devoir, se comporter de façon éthique selon la loi régissant l'univers, tel était l'enseignement de Râma. Shambhala connaissait son *dharma*. Pourtant, la danse était plus forte que son *dharma*: la danse était une passion brûlante qui dévorait tout. Il eut peur de nouveau. Il vit, dans les yeux du maharadjah, que celui-ci devinait la grande tourmente qui déchirait son âme d'enfant.

Râjarâja, s'il comprenait fort bien la frustration de son ministre, n'en éprouvait pas moins de la sympathie pour ce petit garçon désobéissant qui ne vivait que pour la danse.

Il ferma de nouveau les yeux et le mantra résonna dans son cœur. Sa conscience s'étendit à travers tout le cosmos pendant quelques secondes d'éternité puis, de nouveau, se contracta. Il se retrouva dans le temple de Nataraj, un enfant tremblant dans ses bras tandis que les prêtres continuaient à chanter les hymnes védiques dans le vacillement des lampes au camphre et que la nuit imprégnait le temple de ses parfums suaves.

Se penchant tendrement, le maharadjah murmura dans l'oreille du petit garçon les cinq syllabes sacrées du mantra que lui avait transmis son guru. Shambhala les répéta lentement, à voix basse, à plusieurs reprises. Puis il s'endormit.

❑

Des tigres affamés s'étant aventurés aux abords de Chidambaram et ayant déjà fait plusieurs victimes, le maharadjah, qui devait protection à ses sujets, organisa une grande chasse aux fauves. Les éléphants royaux furent parés de leurs plus beaux atours et toute la cour s'ébranla en procession vers la jungle. Des musiciens et une chanteuse installés sur un éléphant caparaçonné et décoré de clochettes suivaient de près l'éléphant du maharadjah et de sa première épouse. La monture impériale à la robe gris clair était chargée d'une plate-forme dorée tendue de soie. Râjarâja et Yasmine saluaient de la main la foule massée sur le parcours de la parade. Shambhala, assis sur les genoux de la reine, se régalait du spectacle, en frappant dans ses mains et en chantant de sa petite voix flûtée.

Achyûta, trônant sur un autre éléphant en compagnie de ses trois épouses, écoutait le rire de son fils, enviant sa joie. Shambhala, bercé par le pas lourd du pachyderme, somnola bientôt, la tête enfouie dans le voile de la jeune reine. De temps à autre, l'enfant levait vers elle un visage endormi. Yasmine caressait doucement sa joue et Shambhala se rendormait.

Râjarâja se tourna vers son épouse. Il vit du chagrin dans le regard de Yasmine. Elle s'était attachée à ce petit qu'elle avait pratiquement adopté depuis qu'elle avait perdu son bébé mais il la sentait encore hantée par le désir de mettre un enfant au monde.

Le cours des pensées du maharadjah prit brusquement un autre tour quand il entendit la voix étranglée de Bhâvanî: l'éléphant du ministre marchait maintenant à la hauteur du sien et les yeux soudain dilatés de la jeune femme surprirent le maharadjah. La mère de Shambhala réussit enfin à articuler:

— Un tigre! Là, un tigre!

Râjarâja leva les yeux en direction du banian qu'elle montrait du doigt. Son sang se glaça: les pupilles dorées du fauve dissimulé dans l'arbre le fixaient intensément, tous les muscles de la bête étaient tendus, prêts à se détendre quand il fondrait sur l'éléphant impérial.

Le tigre s'élança. Le poil de la puissante bête luisait au soleil, ses griffes brillaient comme autant de lames, ses crocs scintillaient. On aurait dit que le temps s'était arrêté: le maharadjah eut le loisir d'observer le félin en détail.

Il se sentit totalement étranger à la situation: une partie lointaine de son esprit se rappelait vaguement qu'il aurait dû avoir peur mais il n'y avait pas la moindre peur en lui. Il observait la scène avec détachement, comme s'il se fut agi d'une fresque rupestre. Il ne percevait aucun son: il y avait un silence parfait et une lenteur incroyable et intensément belle dans le jeu des muscles de l'animal.

Râjarâja se remémora avec acuité son rêve d'enfant, la sensation grisante du chariot céleste s'arrachant à la terre pour l'emporter au-dessus de l'Himâlaya en compagnie des deux étrangers à la peau sombre. Il se revit aux pieds d'Atmananda, se gavant de friandises, accompagnant le saint à son bain, trottinant dans les allées du jardin à son côté. Il se rappela l'arrivée de Spandananda à la cour, les leçons sur la terrasse, le retour du saint homme à Chidambaram.

Il s'émut de retrouver Yasmine fillette, avec ses nattes garnies de fleurs et son large sourire confiant. Il serra de nouveau dans la sienne la main de son vieux père au moment où celui-ci exhalait son dernier soupir, appuya contre sa poitrine ce nourrisson que Bhâvanî et Achyûta étaient venus lui présenter.

Le cri de Shambhala fit de nouveau s'écouler le temps. L'enfant s'était réveillé à l'instant où le tigre bondissait. Les images du passé se télescopèrent et le maharadjah, retrouvant ses esprits, banda son arc et visa le tigre.

Achyûta avait été plus rapide, heureusement. La bête, tuée d'un coup de dague au cœur juste avant d'atteindre l'éléphant du maharadjah, s'abattit lourdement sur le sol.

CHAPITRE III

Le grand temple de Nataraj

L'année de ses sept ans fut particulièrement pénible pour Shambhala. Le fils héritier du maharadjah, l'aîné de sa deuxième épouse, un enfant dodu et cruel, se mit à le tourmenter sans répit. Râjendra enviait la complicité qui s'était établie entre son père et le fils du ministre. Le maharadjah n'accordait en effet aucune attention à ce gros garçon prétentieux qui était pourtant son héritier légitime.

Les deux enfants se partageaient le même précepteur de sanscrit et Bhâktananda avait beau être la patience incarnée, l'inimitié entre les deux enfants l'irritait au plus haut point. Il préférait de loin Shambhala au fat Râjendra mais, en pédagogue consciencieux, il n'en laissait rien paraître et distribuait les sanctions à l'un comme à l'autre bien qu'il sût que le mauvais esprit venait du jeune prince.

Shambhala ne rendait pas les coups, ce qui inquiétait le précepteur. Il se fermait comme une huître, essayant tant bien que mal de se rendre invulnérable aux méchancetés de son camarade. Le fils d'Achyûta avait une sensibilité à fleur de peau et Bhâktananda se mit à craindre que l'enfant, à force d'endurer pareil harcèlement, ne finisse par tomber malade, ce qui, en effet, ne tarda pas à se produire.

Shambhala se mit à tousser et, quelques semaines plus tard, sa toux dégénéra en bronchite. Il eut des poussées de fièvre, ce qui le força à garder le lit et ralentit considérablement son apprentissage de l'alphabet.

Un beau matin, exaspéré de voir la santé de son pupille péricliter à ce point, Bhâktananda se décida à parler ouvertement du conflit avec Shambhala. Il se rendit au chevet de l'enfant malade. Celui-ci était appuyé sur des coussins, enveloppé dans un châle de laine douce; il avait le teint blême et les yeux vitreux. Des gouttes de sueur perlaient à son front que Yasmine épongeait délicatement. Elle était en train de lui raconter une merveilleuse histoire.

Yasmine connaissait par cœur les récits que lui racontait autrefois sa nourrice persane. Elle les avait mémorisés dès la petite enfance. Elle en régalait la cour, réunissant souvent un public d'amateurs pour en narrer les plus beaux épisodes. Parmi tous ces contes enchanteurs, il y en avait un qui séduisait davantage l'imagination de Shambhala et Yasmine se faisait un plaisir d'évoquer pour lui, une fois de plus, l'univers magique de son conte préféré.

Le précepteur attendit patiemment la fin du conte, se laissant entraîner malgré lui dans les péripéties, réagissant aux mésaventures du héros, s'exclamant avec l'enfant quand le récit prenait un tour inattendu. Les deux auditeurs suspendus aux lèvres de Yasmine connaissaient pourtant toutes les astuces de la narration.

Il est vrai que la reine était habile conteuse et qu'elle savait captiver l'attention. Quand elle eut fini, un silence respectueux s'établit. Chacun s'absorbait dans une profonde contemplation de la belle histoire qui venait d'être racontée.

Ce n'est qu'à contrecœur que le précepteur rompit le silence. Il alla droit au but: le conflit avec Râjendra avait assez duré, il était temps que Shambhala réagisse.

Celui-ci ne répondit rien. Sa respiration était tranquille. Bhâktananda crut d'abord que le petit malade s'était endormi mais il vit la main de l'enfant serrer fortement celle de Yasmine qui lui épongea de nouveau le front et lui fit boire un peu d'eau fraîche.

Bhâktananda était sur le point de s'en aller quand Shambhala, ouvrant les yeux, s'adressa à lui:

— Shiva seul sait ce que j'ai pu faire à Râjendra dans une autre vie pour mériter ses tourments dans celle-ci. Je préfère supporter ce karma plutôt que d'en créer davantage en cédant à la colère. Cela dit, tu as raison, mon bon Bhâktananda: c'est le ressentiment qui me rend malade. Tu m'as ouvert les yeux. Je vais guérir. Je te le promets.

Le lendemain, la fièvre était tombée, la toux avait beaucoup diminué et Shambhala, serein, s'appliquait à tracer ses caractères. Le grammairien lui posa amicalement la main sur l'épaule: Shambhala tourna vers lui des yeux lumineux et lui adressa son plus beau sourire.

❑

Le fils du maharadjah continua à le tourmenter mais Shambhala apprit, avec le temps, à maîtriser son irritation. Il projetait le mantra dans chacune des cellules de son corps afin que toute trace de colère soit éliminée de son organisme. Pour danser, il lui fallait un corps parfaitement léger, pur, libre.

Il s'entraînait tous les matins à courir pour fortifier son cœur. Cela lui permettait d'éprouver sa persévérance et de mieux sentir la terre, ce qui était fondamental dans l'apprentissage du Bhârata-natyam.

Il rencontrait parfois Spandananda qui marchait d'un pas allègre selon son habitude. Le guru souriait au garçonnet, ce qui imprimait à son corps un élan tel qu'il avait l'impression de bondir sur le sentier, les membres déliés, les muscles souples, le souffle bien réglé. L'air frais le grisait, l'odeur des lauriers-roses, de l'herbe fraîchement coupée, le chant des oiseaux, les nuages effilés de l'aube, tout lui plaisait. Ses sens livrés à la joie du mouvement, Shambhala courait, animal gracieux, le cœur battant, l'âme heureuse.

❑

Lors du festival de Shiva, Achyûta, souffrant d'une rage de dents, n'avait pu se rendre au grand temple de Nataraj et avait décidé de passer la nuit de veille en silence dans la salle de méditation de sa maison. Ses quatre fils les plus âgés et ses trois épouses avaient décidé de se rendre au temple, mais Shambhala choisit de demeurer avec son père. Toute la nuit, il resta assis, le dos droit, à attendre patiemment que le jour se lève à la fenêtre donnant sur l'est. Il observa avec attention son vieux père qui, les yeux clos, semblait immergé dans des profondeurs insondables dont la lumière montait jusqu'à ses traits altiers. De temps à autre, une douleur lancinante accablait Achyûta qui ouvrait alors les yeux, fixant la nuit à peine entamée par le vacillement d'une lampe allumée devant l'autel sur lequel un *lingam* sculpté reposait sous un monceau de fleurs.

L'homme ne regarda pas son fils une seule fois, mais l'enfant sentit qu'il partageait quelque secret avec cet homme remarquable qu'était son père. Achyûta était si sage et si érudit. Il avait vu les lieux saints et s'était baigné dans le Gange, il avait marché pieds nus dans la neige de l'Himâlaya, il s'était même rendu jusqu'au Tibet. En dépit de la curiosité insatiable de son fils, Achyûta ne parlait jamais de son extraordinaire passé dont s'était emparée la rumeur publique qui avait fait de lui un héros.

Achyûta avait beau faire, sa renommée le poursuivait depuis qu'il s'était fixé à la cour de Chidambaram avec Atmananda, plusieurs années plus tôt. Seul son guru savait à quel point la gloire était pénible à cet ascète qu'on avait marié et à qui on avait confié des fonctions politiques qu'il accomplissait avec un sens du devoir inaltérable et une dévotion entière.

Le silence pesa par moments à l'enfant qui aurait voulu que son père lui témoignât son affection et quand, les paupières lourdes de sommeil, il fut sur le point de s'endormir, Shambhala fit un effort pour rester éveillé, cherchant à forcer l'admiration de son père. Il réussit à vaincre sa tendance au sommeil et s'enorgueillit de veiller encore au moment où le ciel pâlit dans la fenêtre, annonçant les premières lueurs de l'aube.

Le ministre se leva pour ses ablutions matinales sans jeter un seul regard au petit garçon qui, pourtant, sut à quel point son endurance avait touché ce père austère dont il avait, pour la première fois, pressenti la vie intérieure.

❑

Un soir, au début de la mousson, Shambhala était assis sous le porche et regardait la pluie tomber: elle tombait en abondance, cette pluie qui, comme l'enseignaient les vieux sages, était le meilleur allié de l'homme. De véritables rideaux mouvants masquaient les feuillages qui bruissaient sous le poids de l'eau. Un éclair soudain illumina l'obscurité, suivi d'un coup de tonnerre.

Shambhala avait toujours aimé les orages et la pluie. Cette année-là, la mousson était un divin enchantement. Le son, l'odeur, les cataractes blanches éblouies par la foudre, chaque gouttelette d'eau, semblaient porter un miracle de beauté. Shambhala ressentait une paix délicieuse, tandis qu'il regardait la pluie tomber, la respiration régulière, les yeux mi-clos, le corps totalement abandonné à la violence des éléments qui se déchaînaient à quelques pas seulement de la galerie sous laquelle il s'abritait.

Il avait le sentiment d'entrer dans un vaste espace étale, un espace secret pénétré d'un chaud bien-être. Il découvrait un autre monde, très ancien, qu'il reconnaissait pourtant, un monde qui n'était pas de ce monde et qui, pourtant, lui était curieusement familier.

Il n'y avait pas d'images ni de mots: seulement la conscience de la pluie, du vent et du fracas de la foudre. Son corps était un animal suprêmement confortable, dont il sentait les parois vivantes autour de lui. Non, il n'était pas son corps; il habitait son corps. Une vague de reconnaissance le submergea entièrement:

— Ô Shiva Nataraj! quel bonheur que d'avoir obtenu ce corps humain grâce auquel je peux t'adorer en dansant, ô Seigneur de la Danse!

Il vit alors dans le ciel zébré d'éclairs la main de Shiva protégeant la terre et il se sentit parfaitement en sécurité sur cette planète, dans cet univers. Son cœur s'épanouit comme une fleur tandis qu'il descendait dans la matière, cheminant dans son propre corps comme dans le corps cosmique du dieu bleu.

À la base de sa colonne vertébrale, un serpent de feu était lové qui se réveilla soudain et jaillit avec une force prodigieuse entre ses sourcils. La lumière l'aveugla avec une intensité telle qu'il en fut secoué de la tête aux pieds. Il avait le dos en feu! Il se leva d'un bond, fit quelques pas. Tout son corps vibrait d'une grande joie comme si chaque cellule célébrait quelque mystère de transmutation à l'œuvre en lui. Son cœur battait très vite.

Il n'y tint plus et s'élança sous la pluie qui tombait toujours dru, heureux comme il n'avait jamais rêvé l'être.

Shambhala se mit à danser, lentement, puis de plus en plus vite. Il riait, ondulant des membres dans un océan d'énergie, pliant les poignets, ouvrant les doigts. Des étincelles crépitaient sous ses pieds, enveloppaient ses chevilles pleines de boue, montaient jusqu'à ses genoux et à ses cuisses ruisselantes. Il arracha son pagne et dansa nu sous les trombes d'eau crevant un ciel violacé.

Il dansa toute la nuit et, toute la nuit, chaque goutte de pluie dansa avec lui, minuscule étoile d'amour infini, glissant le long de la peau extatique de son corps en mouvement.

C'est à la suite de cette expérience qu'il nourrit l'espoir de pouvoir, un jour, danser à la perfection sa dévotion au Nataraj. Chaque fois que les obstacles lui parurent insurmontables, chaque fois que sa volonté fléchit, il se remémora cette danse sous la pluie et il y trouva chaque fois la détermination nécessaire au difficile apprentissage du Bhârata-natyam.

À quatorze ans, Shambhala était devenu, en cachette de son père, un virtuose de l'art de la danse.

❑

— Où sont les bijoux?

Shambhala en resta interdit. Il venait d'offrir au maharadjah un Nataraj d'ivoire qu'il avait sculpté lui-même, patiemment, pendant de longs mois. Le dieu dansant ne portait pas, il est vrai, les émeraudes et les rubis qui ornaient sa statue du grand temple. La gorge de Shambhala se serra: le roi n'appréciait pas son cadeau. Il se sentit petit et misérable, terriblement désolé d'avoir négligé d'orner la statuette.

Aussitôt, le souverain éclata de rire. Shambhala s'esclaffa aussi, sans raison, pour dissiper son malaise sans doute. Toute la journée, il resta sombre et pensif. Il avait le cœur brisé, l'esprit confus. Pourquoi le maharadjah lui avait-il laissé entendre que son cadeau était incomplet?

Il rumina la question pendant trois interminables journées, incapable de la chasser de son esprit. Bhâktananda avait beau le supplier de se concentrer sur ses leçons, rien à faire: Shambhala voulait réfléchir. Nul ne sut pourquoi il boudait ainsi et il ne s'ouvrit à personne de son chagrin. Même son frère Lakshman ne réussit pas à percer son secret.

Vers la fin de la matinée du troisième jour, au moment du *darshan*, alors que Spandananda bénissait ses disciples en touchant chaque tête courbée avec une gerbe de plumes de paon trempées dans l'eau de rose, Shambhala comprit enfin pourquoi le maharadjah avait dit cela. Tandis que les plumes parfumées lui chatouillaient la nuque, et qu'il était prostré aux pieds de son guru, Shambhala entendit de nouveau les paroles du souverain résonner en lui:

— Où sont les bijoux?

Il réentendit le rire du monarque et le sien, un peu faux. Son cœur se contracta de nouveau et, tandis que le guru lui taquinait toujours le cou et que l'énergie le maintenait cloué au sol, Shambhala comprit que l'intense souffrance qu'il avait éprouvée en entendant ces mots, que le sentiment cuisant d'être insuffisant, il les avait éprouvés à chaque seconde tandis qu'il sculptait le dieu dansant. À chaque coup de ciseau dans la pièce d'ivoire, il avait craint de déplaire, redouté que la pièce ne soit pas assez parfaite, envisagé la possibilité que le maharadjah repousse son cadeau.

Cette pénible sensation d'être dans l'impossibilité de donner ce qu'on attendait de lui était l'essence même de sa relation à son père. Shambhala avait l'intime conviction que jamais il n'arriverait à satisfaire Achyûta. Il était voué irrémédiablement à l'échec, car il savait bien qu'il ne serait jamais celui que son père voulait qu'il soit. Achyûta ne voulait absolument pas d'un autre artiste parmi ses fils. Il tenait, par contre, à ce que son benjamin suive ses traces. Or Shambhala n'avait pas la moindre envie de succéder à son père dans son ministère auprès du roi.

Il se releva, accablé de tristesse. Spandananda lui balaya le visage et la poitrine avec ses plumes de paon et le couva un long moment de son regard de feu. Shambhala voulut s'en aller mais le guru lui planta les plumes dans l'estomac, le forçant à rester debout devant lui, immobile. Le garçon sentait les larmes lui couler sur les joues et il eut honte de son émotivité. Spandananda s'exclama:

— Ah! c'est bien, c'est très bien!

Shambhala sourit à travers ses larmes. Le guru avait une telle façon de vous guérir de vos blessures! Le cœur du danseur s'ouvrit, enfin. Il retourna s'asseoir, ferma les yeux, respira à fond. Spandananda avait raison: cela était bien. Le maharadjah avait ouvert la plaie avec sa question et l'abcès venait de crever: le sentiment d'impuissance qui l'abattait était absurde. Il n'avait pas à se soumettre aux ambitions de son père. Il suivrait son *dharma*: il supplia Shiva, il supplia Atmananda, il supplia Spandananda de lui montrer quel était son devoir. Il ouvrit les yeux: le guru le regardait. Shambhala se perdit dans ce regard profond et infiniment mystérieux.

Il décida de prendre le souverain au mot et entreprit de couler dans le bronze un petit Shiva Nataraj qu'il avait sculpté à la cire perdue et l'orna d'un collier de minuscules rubis.

Quand il le lui offrit, le maharadjah se pencha vers le dieu dansant finement ouvragé dont la poitrine brillait du feu des pierres précieuses. Le souverain, visiblement ému, murmura dans un souffle:

— C'est un vrai bijou...

❑

La cour s'était déplacée et logeait dans des tentes qu'on avait dressées au bord de l'océan, à proximité d'un temple de Shiva que l'empereur avait fait autrefois édifier au retour de sa conquête de l'île de Lanka. Shambhala se retrouva un soir, à l'écart, sur la plage déserte.

La nuit était froide et la lune d'un rose pâle jetait sur l'eau des reflets argent. Shambhala s'assit dans le sable. Il sentit que le Bienveillant le tenait dans le creux de sa main et cela le berça de sa peine. Comment concilier son respect pour son père et son amour de la danse? Sa mère ne le trahirait jamais, non plus que ses frères. Personne d'autre n'était au courant. Son désir de danser n'était plus de l'enfantillage et il ne pourrait pas éternellement mentir à son père, il le savait bien. Il resta ainsi un moment, immobile, tandis que les vagues se brisaient à ses pieds.

Il se releva et alla à la rencontre du maharadjah dont il apercevait la silhouette à l'autre bout de la plage. Le visage baigné par un rayon de lune, luisant comme un diamant noir, le roi l'observait tandis que Shambhala s'avançait vers lui, humble et muet.

Soudain, Râjarâja sursauta. Il venait d'apercevoir, en une fraction de seconde, un autre personnage qui marchait vers lui. C'était dans un autre lieu et dans un autre temps.

Ce n'était plus la mer du Bengale qui s'étendait à sa gauche mais un vaste continent depuis longtemps disparu. Ce n'était plus Shambhala mais une jeune femme à la peau bleue qui venait vers lui. Il n'était plus maharadjah de Chidambaram mais Prince du Soleil Levant, dans un autre empire, si lointain dans le temps qu'il en eut le vertige.

L'image se dissipa aussi vite qu'elle était apparue et le maharadjah se dirigea vers le jeune homme, cherchant tant bien que mal à dissimuler son trouble. Râjarâja aurait voulu lui dire qu'en s'obstinant à vouloir danser, Shambhala était en train de répéter ce qu'il avait vécu autrefois. Il aurait voulu le prévenir du danger de la répétition.

Le guru avait cependant interdit au souverain de parler de ce qu'il lisait si facilement dans les annales akashiques, ces archives immatérielles contenues dans l'éther. Spandananda avait précisé qu'il perdrait son don s'il continuait à le galvauder en racontant, pour divertir ses courtisans, les scènes de vies antérieures qu'il lui arrivait de percevoir.

Le maharadjah se tut donc et rentra au campement, en compagnie de Shambhala qui respecta son silence.

❑

Après cinq semaines passées au bord de l'océan, la cour revint dans la capitale pour le festival de Shiva célébré avec pompe dans le grand temple de Nataraj.

Achyûta perdit son fils de vue dans le tourbillon des cérémonies qui fascinaient le jeune homme. Shambhala n'était pas revenu au temple du dieu dansant depuis le jour de son enfance où, effrayé par la colère de son père, il s'était réfugié dans les bras du maharadjah qui lui avait alors appris le mantra.

Le temple était moins vaste que dans son souvenir mais dès qu'il franchit le seuil, avançant le pied droit d'abord et se penchant pour toucher le sol de la main droite, il fut pénétré de révérence.

Une folle animation régnait à l'intérieur de cette ville dans la ville qu'était la demeure de Nataraj. Des vaches broutaient librement l'herbe folle qui poussait entre les dalles, des chèvres se lamentaient dans les *ghâts*, ces marches menant au grand bassin miraculeux dont les eaux avaient autrefois guéri de la lèpre un ancêtre du maharadjah.

Shambhala descendit les *ghâts*, relevant son pagne sur ses genoux et, les pieds dans l'eau sombre, il lança du riz soufflé aux poissons qui pullulaient dans le bassin.

Il s'assit ensuite au soleil et contempla la Salle aux Mille Piliers qui s'élevait de l'autre côté du plan d'eau. Un nain au visage plissé de rides s'approcha de lui, demandant d'une voix douce s'il venait au temple pour la première fois.

Le fils du ministre regarda l'avorton aux yeux pleins de bonté qui se tenait à côté de lui, la tête penchée, l'air innocent. Il se prit aussitôt d'affection pour le bonhomme et lui confia qu'on ne l'avait plus emmené au temple depuis que son père, plusieurs années auparavant, l'avait surpris à danser le Bhâratanatyam dans le fond de la Salle de la Danse pendant que les dévots se pressaient devant le sanctuaire où se déroulait la cérémonie du soir en hommage à Nataraj.

Maintenant accroupi dans les marches, le petit homme s'intéressa vivement à l'histoire de Shambhala et, demandant si celui-ci aimerait voir les panneaux sculptés illustrant les cent huit poses de la danse sacrée, il s'offrit à lui servir de guide.

Le nain trottinant à son côté, Shambhala observa les panneaux dans le détail. Il sourit devant l'une des postures: la main gauche était levée tandis que la droite reposait sur la hanche. L'action des pieds figée dans la pierre évoquait l'état de liesse atteint par le danseur. C'est quand il l'avait vu dans cette transe que son père s'était mis en colère contre lui et avait traversé la cour en fulminant.

Shambhala s'était alors faufilé entre les piliers de la Salle de la Danse, avait dégringolé les marches jusqu'au sanctuaire où il était entré par une porte latérale pour se précipiter contre la poitrine du maharadjah qui assistait à la cérémonie.

Les souvenirs affluaient à la mémoire de Shambhala tandis que, les yeux mouillés de larmes, il savourait les figures de la danse qu'il sentait s'animer dans son corps subtil. Il allait, les mains derrière le dos, d'un panneau sculpté à l'autre, absorbant la danse de Shiva, reconnaissant les neuf mouvements de tête, les huit sortes de regards, les six mouvements des sourcils, les quatre mouvements du cou, les vingt-huit mouvements simples et les vingt-quatre mouvements combinés des mains. Ses muscles répondaient imperceptiblement à l'élan du danseur de pierre, cherchant à reproduire l'action coordonnée du pied, du mollet, de la cuisse et de la taille.

Ses pieds auraient voulu quitter le sol puis y revenir pour dessiner les cent huit figures coordonnées avec les mouvements des mains. Ses doigts, pourtant sagement noués derrière son dos, se mouraient de se déployer dans l'espace tels des oiseaux et d'adopter les différents *mudrâs.* N'y résistant plus, Shambhala libéra ses mains et forma le geste de cueillir des fleurs invisibles, tandis que le nain avait le dos tourné pour mieux lui montrer le mouvement de pieds du Seigneur de la Danse, dans la pose le représentant en train de sauter pour éviter la foudre.

❑

Le nain avait pour nom Ananda. Il était né dans une sous-caste qui avait pour fonction de servir les prêtres du temple. Il pilota Shambhala pendant toute la durée du festival, lui faisant voir les entrepôts où étaient remisés les chariots qu'on était en train d'astiquer pour la procession, les magasins où on réparait les statues et des recoins du temple auxquels les pèlerins n'avaient pas accès.

Le petit homme allait même jusqu'à soudoyer les prêtres — distribuant les quelques piécettes de monnaie dont Shambhala lui remplissait les poches chaque matin —, de sorte que son protégé pouvait s'approcher des déités pour recevoir leur *darshan.*

La première fois qu'il assista à la cérémonie à Nataraj, le jeune danseur fut saisi d'une émotion telle qu'il craignit une crise de convulsions, comme cela lui était arrivé plusieurs fois pendant qu'il dansait.

Des quatre frères de Shambhala, Lakshman était le seul à ne pas participer aux activités du festival, parce qu'il souffrait d'un accès de malaria. Or, si les frères musiciens de Shambhala l'aimaient tous les quatre d'une tendresse égale, seul Lakshman ne s'effrayait pas des crises du benjamin et savait l'empêcher de se mordre la langue et de se meurtrir pendant ces courtes périodes d'inconscience au cours desquelles Shambhala perdait connaissance et tombait lourdement sur le sol, le corps secoué de soubresauts, les yeux révulsés, l'écume à la bouche.

Les crises s'étaient espacées au cours de la dernière année ce qui fait qu'on avait cru pouvoir emmener Shambhala au temple de Nataraj. Personne n'avait songé que Lakshman ne serait pas là pour venir à son secours au cas où il rechuterait.

Le jeune homme se tenait devant le sanctuaire, les mains levées au-dessus de la tête comme les autres fidèles pendant que le prêtre balançait un chandelier sur lequel brûlaient de multiples flammes devant un Shiva dansant couvert d'émeraudes et de rubis qui resplendissait tout au fond, au-delà des lourdes portes d'argent gravé noircies par la fumée. Une forte odeur de beurre fondu imprégnait l'atmosphère, se mêlant à celles du camphre et du jasmin.

Le cœur de Shambhala battait à tout rompre, le sang bourdonnait dans ses oreilles. Un prêtre faisait sonner des cloches dans la cour intérieure, un autre agitait des clochettes. Le rythme s'accéléra, d'autres flammes furent balancées devant le danseur de bronze et Shambhala perçut l'intense lumière blanche annonciatrice de ses crises. Une prière désespérée monta alors en lui et il supplia le Bienveillant de ne pas permettre qu'il perde conscience.

Les cloches se turent, les flammes continuèrent à brûler devant l'idole et la cérémonie se déplaça vers la cour où avait lieu la procession des sandales dans une arche peinte de couleurs vives. Shambhala, reconnaissant d'avoir échappé à la crise, suivit le groupe de fidèles d'un pas de somnambule, ébloui par la toiture qu'un précédent empereur Chola avait fait recouvrir d'or et qui brillait au soleil.

Il resta les mains jointes sur la poitrine pendant toute la durée de la cérémonie au cours de laquelle on baignait le *lingam* de cristal dans le lait, l'eau de coco et l'eau de fleurs d'oranger après avoir fait des offrandes de riz et de jasmin. L'officiant balança une flamme pendant qu'un autre prêtre secouait au même instant une queue de yak pour évoquer l'élément aérien tandis qu'un autre encore soulevait un rideau derrière lequel il n'y avait rien, pour rappeler l'*âkâsha* ou l'invisible éther, cinquième élément qui, avec la terre, l'eau, le feu et l'air, constituait toute la matière du monde.

Shambhala ferma alors les yeux, transporté d'une si grande joie qu'il se sentit défaillir. Le dieu dansant était là, bien vivant, en lui: il sentit chacune des cellules de son corps se mettre à danser. Il se tenait pourtant immobile, les yeux clos, les mains jointes. Le nain le tira par le pan de son vêtement pour l'entraîner vers l'autel de la Shakti où avait lieu une autre cérémonie.

Étourdi, le jeune homme suivit son guide trop zélé et consentit volontiers à s'asseoir quand celui-ci l'invita à méditer et à prier la Shakti.

La Shakti de Shiva était représentée debout, grandeur nature, noire et mystérieuse. Ce qui frappa tout de suite Shambhala, assis par terre sur le sol de pierre, ce furent les pieds de la déesse. Ils étaient larges et dorés.

Shambhala fut transporté de dévotion pour les pieds de la Shakti. Il aurait voulu aller les embrasser mais le nain lui fit signe que non, il ne pouvait s'approcher davantage de la déesse.

Le danseur se tourna alors vers l'intérieur pour communiquer avec la compagne de Shiva. Un feu consumait son corps, purificateur, exaltant.

Il baissa le front jusqu'à toucher la pierre froide et murmura des mots d'amour à celle qui régnait ainsi dans l'ombre de ce temple. Shambhala embrassa le sol, à défaut de pouvoir embrasser les pieds dorés de la Shakti.

Ananda comprit que son protégé était surmené et lui proposa de passer quelques heures dans la maison d'un prêtre pour se reposer. Shambhala accepta volontiers et suivit le nain à travers le temple, marchant sous le soleil de midi, pieds nus sur les dalles inégales, évitant les bouses de vache, écartant les ermites errants qui mendiaient agressivement leur nourriture, repoussant les fillettes qui cherchaient à l'apitoyer avec leurs bébés chétifs.

Sundara Dikshitar avait à peine dix-neuf ans mais était déjà père de cinq petites filles. Le nain expliqua que les prêtres du temple devaient absolument être mariés pour officier, ce qui fait qu'on avait marié celui-ci à l'âge de onze ans. Il avait le crâne rasé et le teint clair. Il se montra charmant et d'une hospitalité gracieuse. Sa femme servit un repas dont Shambhala se délecta tandis que la fille aînée du prêtre, une enfant aux yeux rieurs, montra à l'invité qu'elle savait écrire le sanscrit en traçant quelques voyelles à la craie sur le sol.

Le jeune prêtre éclata de rire et déclara, le ton à peine teinté d'amertume, que sa fille en savait déjà plus que lui qui n'avait jamais eu la chance d'apprendre à écrire. Sur le chemin du retour, Shambhala s'étonna de l'analphabétisme de Sundara Dikshitar, mais le nain expliqua que les prêtres du temple n'étaient pas tous aussi érudits que les brahmanes car leurs fonctions étaient surtout rituelles et que bien peu d'entre eux pratiquaient le yoga de la connaissance.

Ce soir-là, Shambhala se mit au lit la tête lourde de tout ce qu'il avait vu et entendu au cours de sa matinée. Il rêva: les pieds de la Shakti se déplaçaient dans des ténèbres épaisses, dorés et lumineux. Les orteils s'étalaient, légèrement écartés, le talon s'élevait du sol pour s'y déposer un peu plus loin. Il ne vit d'abord que les pieds marchant inlassablement le long d'un océan noir qui remuait au fond du rêve. Puis la déesse au complet apparut, dans sa robe noire.

De façon tout à fait inattendue, elle s'assit par terre, souriante, étendit ses longues jambes toujours pudiquement recouvertes par sa robe de pierre et montra la plante de ses pieds. Celle-ci était couverte d'un fin réseau de lignes et de vallons, et les orteils de la Shakti se dressaient tels des *lingams* d'or massif. Dans le rêve, Shambhala put alors s'approcher de la déesse et, lentement, amoureusement, il embrassa les divins pieds d'or.

❑

Spandananda inaugura le chant de la nuit de la nouvelle lune de février consacrée à Shiva. On chanterait le mantra sans interruption jusqu'à l'aube. On avait installé le fauteuil du guru au fond de la Salle de la Danse du grand temple de Nataraj, près de cette statue de Shiva le représentant la jambe droite complètement levée pour remettre en place sa boucle d'oreille tombée pendant qu'il dansait. C'était par cette acrobatie que le dieu avait remporté le concours de danse contre sa Shakti qui, furieuse que la modestie l'empêchât de se livrer à son tour à cette même prouesse, alla se jeter dans les eaux d'un bassin à quelques kilomètres du temple, là où on la vénérait désormais sous la forme terrifiante de Kâlî.

Toute la cour était rassemblée entre les piliers de la salle où avait eu lieu ce concours de danse mythique, tandis que la foule des fidèles de la ville et des villages environnants prenait place dans la cour intérieure, autour du sanctuaire dont le toit d'or brillait de mille feux sous les rayons du soleil couchant.

Râjarâja en costume d'apparat, pantalons bouffants, veste de soie écrue, turban brodé de perles, était assis sur une peau de tigre aux pieds du guru et chantait le mantra avec Spandananda tandis que la foule reprenait en chœur.

La nuit tomba peu à peu sur le temple et la Salle de la Danse fut plongée dans les ténèbres. Les prêtres du temple apportèrent quelques lampes au camphre qui parfumaient l'air et permettaient à ceux qui voulaient quitter le chant d'y voir un peu. Personne, pour l'instant, ne songeait à aller dormir car la forme noire du guru, sa voix grave et bien timbrée les tenaient tous sous le charme.

Bien qu'il fût tout près de Spandananda, le maharadjah n'arrivait plus à distinguer les traits de son maître qui semblait happé par l'ombre, avalé par les syllabes du mantra. Vers minuit, la silhouette se fit plus lourde et le souverain sut qu'il était désormais en présence du bien-aimé Atmananda qui, bien qu'il eût quitté son corps physique depuis plusieurs années, était toujours vivant à travers son successeur. Ému, le maharadjah se rappela alors le saint qui avait illuminé ses cinq ans et son âme déborda de gratitude.

À d'autres moments, le dieu bleu lui-même prenait place dans le fauteuil du guru. Spandananda semblait alors s'être évanoui dans l'éther tandis que Shiva en personne apparaissait à ses fidèles.

Peu avant l'aube, alors que le guru avait quitté le chant depuis longtemps, Râjarâja vit de nouveau la forme du dieu. La vision était d'une précision remarquable; il observa la large poitrine, les bras et les cuisses musclés, les mollets de danseur, et il fut impressionné par la force physique qui émanait de ce corps de géant. La peau bleu sombre avait des reflets lunaires car le dieu avait recouvert son corps de cendre provenant d'un feu sacrificiel. Les cobras qu'il avait enroulés autour de son cou dansaient en cadence, hypnotisés par la musique et par le balancement doux que Shiva imprimait à son corps tandis que ses belles lèvres pleines formaient les syllabes sacrées. Ses yeux étaient clos mais son troisième œil émettait un puissant rayon bleu qui balayait la foule, fouillant le cœur des disciples, lisant leurs pensées, enregistrant leurs requêtes.

Shambhala était assis à l'extrémité de la Salle de la Danse et s'était appuyé le dos contre un pilier car il avait l'intention de chanter jusqu'au matin. Il était exalté par le mantra et ivre de désir. Le dieu fut saisi par l'intensité de ce désir: Shambhala voulait danser, il suppliait le dieu de lui permettre de danser.

— Danser, ô Shiva, danser, ô Nataraj, danser, même rien qu'une fois, une seule fois, danser devant le guru!

Le dieu s'attrista d'une telle passion. Ses créatures ne savaient-elles pas que la passion causait inexorablement la souffrance? Le jeune homme était possédé par l'énergie de la passion et la force de son désir était telle que Shiva — qu'on appelait aussi «Celui qui était aisément satisfait» — Shiva sut qu'il devrait exaucer le vœu de Shambhala.

Le temps n'était cependant pas encore venu. Guidant avec douceur le corps subtil du danseur, le dieu bleu entraîna celui-ci dans un autre monde. Dans le cerveau de Shambhala, cela prit la forme d'une rêverie au cours de laquelle il vit le dieu dansant qui lui tendait un lourd manuscrit. Il sut tout de suite qu'il s'agissait du *Rig-Veda.*

Le jeune homme passa toute la nuit au chant. La finale fut particulièrement enlevante, car Spandananda revint participer au chant dès le lever du soleil et changea alors le rythme des scansions. Possédé par son désir de danser, le jeune homme chantait de toute son âme et balançait son corps en cadence. Achyûta lui mit la main sur l'épaule à plusieurs reprises, le regardant d'un air sévère pour tenter de le calmer. Shambhala était frénétique: il commençait à éprouver une véritable animosité envers son père. Il avait le sentiment que celui-ci voulait l'empêcher de vivre puisqu'il lui interdisait toujours de danser.

❑

Après le festin abondant qui suivit la finale du chant, Shambhala se retira pour dormir. Il ne dormit que deux heures. À son réveil, il fit ses ablutions en vitesse, enroula un pagne propre autour de ses hanches minces et courut à l'une des académies où Ananda l'avait présenté à un érudit fort aimable qui l'avait gracieusement invité à profiter de leur bibliothèque.

Shambhala formula sa requête au vieil homme qui lisait tranquillement, assis sous un amandier au centre d'une cour fraîche et fleurie. L'homme sourit, se leva avec une souplesse étonnante étant donné son âge avancé et précéda le jeune homme dans une bibliothèque remplie de textes rares.

Il ne mit que quelques instants à trouver le *Rig-Veda*: il souleva le manuscrit et le plaça entre les mains de Shambhala qui, au comble de la joie, s'empressa de s'asseoir dans un coin pour déchiffrer cette version en sanscrit du texte en langue védique transmis oralement de génération en génération. Un phénomène absorba bientôt toute son attention: il découvrit qu'un des chants lui parlait tout particulièrement. Il lut, en effet, un passage qui le fascina: il y était question du dieu des routes, qui écartait celui qui obstruait la voie.

Au bout d'un moment, essoufflé, Shambhala s'arrêta de traduire. Il avait formé les mots sur ses lèvres à mesure, laborieusement. Il sentait le feu du texte dans son cœur: il brûlait, littéralement. Le *Rig-Veda* lui parlait tellement clairement de son père! Maintenant qu'il connaissait l'existence de ce demi-dieu qui écartait les obstacles, il allait l'invoquer et le vénérer jour et nuit pour qu'il écarte Achyûta de sa route et qu'il puisse, ô Nataraj, qu'il puisse danser!

Le lendemain de sa visite à l'académie, Shambhala se réveilla, au milieu de la nuit, secoué de frissons. Une violente fièvre se déclara qui le tint cloué au lit plusieurs semaines. Malgré les sueurs froides et les tremblements, il réussit à rendre un culte mental au dieu des routes.

Son esprit affaibli par la maladie ne se concentrait pas facilement, de sorte que ses méditations tournaient facilement au cauchemar. Il se réveillait le cœur battant, terrifié: il avait vu le demi-dieu écorcher Achyûta avec une violence inouïe et il lui semblait être tout éclaboussé de sang. Il n'en souhaitait pas tant; il ne voulait aucun mal à son père. Il demandait simplement que celui-ci fût écarté de sa route afin qu'il puisse danser, ô sublime joie, danser!

Son vœu fut exaucé. Quand il fut assez bien pour se lever, Shambhala apprit la nouvelle: le maharadjah envoyait son ministre en mission diplomatique à Lanka et Achyûta ne serait probablement pas de retour avant plusieurs mois.

Dès le départ de son père, Shambhala courut vers ses frères qui ne furent pas surpris de son allégresse. Ram, Bhârata et Shatrughna sortirent leurs instruments et Shambhala dansa. Il dansa et dansa et ne s'arrêta que des heures plus tard, épuisé mais heureux.

Lakshman ne vint pas le voir danser. Shambhala sentit qu'il ne pouvait plus compter sur le soutien de son frère bien-aimé: celui-ci était particulièrement attaché à leur père, qui lui préférait pourtant Shambhala, et le jeune homme sembla deviner que le danseur avait souhaité ce départ. Non seulement Lakshman ne voulut pas voir la danse de son frère cadet mais, à partir de ce moment, il évita le regard de Shambhala et ne lui adressa plus la parole.

❑

Malgré sa résolution de ne pas se laisser affecter par l'attitude de Lakshman, Shambhala en conçut une profonde tristesse. Il n'avait plus le cœur à danser et se contentait de marcher. Pendant des heures, il marchait.

Un matin, il prit la route, sauta sur les roches plates du lit de la rivière déjà presque à sec en cette saison et se rendit jusqu'aux sources thermales où Atmananda avait autrefois l'habitude de venir prendre son bain.

Sa mélancolie était grande et il n'arrivait pas à la comprendre: après tout, il n'avait plus vraiment besoin de son frère. Les crises avaient maintenant disparu: il pouvait danser sans danger. Mais que celui de ses frères qui lui était le plus cher se montre désormais si distant, cela le chagrinait beaucoup.

Il avait beau se répéter que cette affection ne devait pas être pour son bien puisqu'elle lui était retirée, ses raisonnements ne calmaient en rien son émoi.

Il courut d'une roche à l'autre, se pencha pour observer les têtards dans les mares, puis bondit sur la terre craquelée de l'autre côté de la rivière. Il croisa des buffles, des vaches, des chèvres et même un sanglier fouissant son groin dans la boue. Il s'arrêta au temple de Ganesh, se prosterna devant le dieu-éléphant, le suppliant d'enlever cet obstacle avec sa trompe qui déracinait les arbres. Il aurait tellement voulu que Ganesh lui arrachât toute sa tristesse!

Il revint sur ses pas, retraversa le lit de la rivière, se recueillit de nouveau près des sources où un ascète prenait un bain tandis qu'un autre lavait son vêtement, le tordant avec force pour le frapper ensuite contre un rocher afin d'en extraire l'eau. Le ciel était d'un bleu impeccable, la rivière s'éparpillait, luisante comme cent serpents courant entre les pierres. La chaleur du soleil sur ses joues et sur son front réconforta Shambhala: une brise fraîche lui caressa les cheveux. Pendant un court instant, au creux même de sa tristesse, il éprouva une grande béatitude. Il dit, tout haut:

— Oh! Lakshman, mon frère, si tu savais comme je t'aime!

Il revint au palais vers midi, s'attarda dans les jardins, trop triste pour avaler quoi que ce soit. L'après-midi, il ne voulut pas danser. Ses trois autres frères se désolèrent de le voir dans un tel état mais n'osèrent pas intervenir de crainte d'envenimer les choses.

Ram exprima tout haut ce que tous commençaient à soupçonner: il y avait un mystère dans ce froid entre les deux jeunes gens. Lakshman et Shambhala devaient être en train de revivre quelque karma hérité d'une autre vie, d'où l'intensité des sentiments en cause.

Shambhala se coucha dès le crépuscule mais il mit longtemps à s'endormir. Il n'arrivait toujours pas à s'expliquer sa grande détresse et était submergé de vagues d'amour pour Lakshman tout en éprouvant la sensation d'une perte irréparable. Il se reprocha d'avoir prié pour écarter leur père, il s'en voulut d'avoir fait passer son désir de danser avant sa piété filiale. L'indifférence de Lakshman ne faisait qu'aviver son remords et il supplia mentalement le guru de le remettre sur le droit chemin.

Le lendemain, au *darshan*, il offrit de l'ambre rare à Spandananda et s'attarda longuement à ses pieds, lui confiant intérieurement son chagrin et l'océan d'affliction qui noyait son cœur. Shambhala se dit que s'il y avait quelque valeur dans son authentique détresse, le guru saurait la lui montrer.

Quand il se releva, Spandananda lui jeta un bref coup d'œil. Les yeux noirs plongèrent au fond des siens et se retirèrent presque aussitôt. Shambhala sut instantanément que son sacrifice avait été accepté: le guru lui avait donné la force de souffrir cette douleur et il retrouva enfin la paix.

Il fut très surpris ce soir-là quand Lakshman vint le trouver alors qu'il était en train de souper de potage aux lentilles et d'un peu de riz. Le jeune homme voulait lui faire savoir qu'il pourrait l'accompagner au tambour le lendemain matin, dès le lever du soleil.

Leurs frères devant s'absenter pour participer à une cérémonie en l'honneur des danseuses sacrées du grand temple, Shambhala apprécia la proposition de Lakshman qui lui permettait ainsi de reprendre son entraînement dès le lendemain tout en lui signifiant la fin des hostilités.

Débordant d'amour pour son frère et pour le guru qui lui avait rendu l'affection de celui-ci, il murmura le mantra avant de s'endormir et sa conscience fut bientôt inondée de lumière: il n'y avait rien d'autre que la présence du guru, partout, dans tout l'univers, dans son corps, dans ses émotions, dans ses pensées. Il perdit bientôt de vue sa propre individualité et, pénétrant dans cette lumière, il s'absorba dans le guru et s'évanouit dans la plénitude jusqu'au moment de son réveil.

Il se lava pour disperser les impressions accumulées par le corps subtil au cours de la nuit, s'habilla chaudement et se rendit au temple pour méditer. Il chanta ensuite l'hymne au guru avec l'assemblée des fidèles du palais puis retrouva son frère dans la cour intérieure dont le sol de marbre était glacial à cette heure.

Le soleil se levait et dardait ses faibles rayons sur la chevelure dorée de Lakshman qui s'affairait à tendre les peaux de son tambour. Le jeune homme était blond comme leur père et c'est sans doute cette particularité physique commune qui l'attachait à Achyûta. Mais Lakshman n'avait pas le teint laiteux du ministre: il avait la peau noire de la deuxième femme de celui-ci. Sa mère était la petite-fille d'un monarque d'Abyssinie et le vieil empereur, qui avait hérité de cette beauté nègre lors d'une de ses victoires, l'avait offerte en mariage à son ministre.

Le jeune homme, de quelques années plus âgé que Shambhala, était d'une beauté exceptionnelle et l'étonnant rapprochement de la longue chevelure blonde et raide et de la peau noire ne faisait qu'ajouter à sa splendeur.

Shambhala se dit que son frère était beau comme un dieu et il alla humblement lui embrasser les pieds avant de se mettre en place pour danser.

❑

Shambhala dansa. Il dansa jusqu'à midi. La sueur mouillait son front, ses yeux brillaient d'une lumière intense. Il termina son dernier enchaînement et s'arrêta.

Il salua puis s'assit dans la posture du lotus. Lakshman, les yeux clos, continuait de battre son tambour. Shambhala goûta le nectar de la danse, il savoura sa communion avec son frère, chaque battement du tambour résonnant dans son cœur empli de dévotion pour Nataraj.

Il offrit alors son esprit au dieu dansant et tomba dans un abîme sans fond, abandonnant son être à l'infini, laissant son âme s'épancher dans l'âme universelle comme une rivière dans la mer. Le danseur y trouva un repos d'une qualité sublime. Quand il émergea de sa méditation, plusieurs heures plus tard, le soleil couchant créait des zones de lumière trouées d'ombre sur le marbre clair et la cour intérieure était déserte.

Shambhala s'assit sur ses talons un moment, le temps de laisser la circulation se rétablir dans ses jambes. Il respira profondément, ferma les yeux. Il sentit le noir engageant de l'Atman prêt à l'engloutir de nouveau quand une odeur de camphre et d'encens le ramena au monde des sensations. Bhâktananda traversait la cour, son encensoir à la main. Il s'immobilisa devant la statue de Durgâ: la déesse avait été fraîchement repeinte et ses yeux luminescents semblaient apprécier la dévotion profonde que manifestait le moine en balançant son encensoir devant elle. Bhâktananda disparut par une porte menant au temple où on s'apprêtait à chanter la prière du soir.

Le danseur l'y suivit et chanta avec l'assemblée des fidèles, l'âme recueillie, le corps bien droit, les orteils écartés, le poids du corps réparti entre le milieu du talon et les racines du gros et du petit orteil. Il allongea la colonne vertébrale, ouvrit la cage thoracique, laissa tomber les épaules et flotter librement la tête sur la nuque dans la posture de la montagne. On chantait toujours la prière du soir debout et Shambhala aimait se tenir ainsi devant la statue d'Atmananda. Ce soir-là, il vit des particules de lumière tourbillonner autour du saint, dans un nuage d'or qui l'enveloppa bientôt à son tour, oblitérant sa conscience jusqu'au tout dernier mantra qui signifiait que toute action était dédiée à l'Atman, que tout lui appartenait, en particulier les bonnes actions et les tâches bien accomplies.

Shambhala répéta le mantra final avec ferveur, sachant qu'il avait ce jour-là bien dansé. Il avait dansé de tout son être, dansé son amour absolu pour Shiva, le dieu bleu dont les pas font trembler la terre tandis que le mouvement des boucles de sa chevelure cosmique effraie le ciel et les étoiles.

CHAPITRE IV

Aucun effort n'est jamais perdu

Ram, Bhârata et Shatrughna ramenèrent une danseuse sacrée du grand temple de Nataraj afin qu'elle puisse aider Shambhala à perfectionner les figures dansées qui lui causaient quelque difficulté. Le jeune danseur avait en effet bien du mal à donner à ses gestes la grâce féminine qui lui manquait, mission dont avait été chargée la ravissante danseuse de Bhârata-natyam.

Il se dégageait de toute la personne de Lalitâ une sensualité étourdissante. Ses formes étaient pleines et son corps sculptural palpitait de vie. Quand on lui présenta Shambhala, la danseuse regarda son élève droit dans les yeux, sans sourire, comme elle se serait jetée dans ses bras. Shambhala la désira aussitôt et son apprentissage fut dès lors perturbé par le tourment de la chair.

Lalitâ travaillait sans relâche et se montrait extrêmement disciplinée: Shambhala apprenait vite et bien, manifestant une détermination et un talent naturel qui réjouissaient fort la danseuse. Celle-ci, parfaitement concentrée, semblait ignorer les transports qu'elle suscitait chez le jeune homme quand elle lui touchait la hanche pour l'arrondir ou quand elle prenait son mollet entre ses deux mains chaudes pour lui enseigner un plié particulièrement délicat.

Son indifférence ne faisait qu'accroître la fébrilité de Shambhala qui rêvait d'elle jour et nuit. Quand Lalitâ se plantait devant lui, les reins cambrés, les seins dressés pour lui montrer comment glisser du mouvement du buste au mouvement du pied tout en formant des oiseaux avec les mains accrochées par les pouces, Shambhala sentait son corps prendre feu et il devait lutter ardemment contre l'envie irrésistible de prendre la séduisante danseuse contre lui et d'embrasser ses lèvres violemment peintes en rouge.

Il résista jusqu'au jour où Lalitâ, consciente de son pouvoir d'attraction sur son jeune élève, l'invita à venir la rejoindre au grand temple à la tombée du jour. Elle mit toute la nuit à initier Shambhala à l'art de l'amour et lui fit connaître à l'aube l'extase divine qui fit de lui un homme.

Ram découvrit bientôt la liaison entre son frère et la danseuse: Shambhala s'abandonnait davantage dans ses mouvements désormais empreints d'une lascivité toute féminine. Il dansait mieux mais avait les yeux cernés et semblait perpétuellement inquiet.

L'aîné reconnut là les signes de la passion et avertit son jeune frère du danger de se livrer aux joies de la chair: il lui rappela que le guru ne faisait que tolérer la prostitution sacrée que pratiquaient les danseuses au temple et que, s'il admettait que les pèlerins y aient recours, il déconseillait vivement à ses disciples de céder à pareille tentation qui risquait de compromettre leur avancement spirituel.

Shambhala reconnut que Ram avait raison et il éprouva du remords chaque fois qu'il se présenta au *darshan* devant Spandananda. Il avait espéré que celui-ci lui donnerait l'initiation au cours de sa quatorzième année, mais il vit dans les yeux du guru que celui-ci ne lui accorderait pas l'initiation tant qu'il serait l'esclave de la luxure.

Le jeune danseur dut s'avouer qu'il désirait davantage l'exaltation dans les bras de la courtisane que la libération. Il savait pourtant, comme le lui rappelait tous les jours son frère Ram, que du plaisir des sens ne résultait que la souffrance. Le corps et l'esprit totalement possédés par le désir sexuel, Shambhala sacrifia son cœur et choisit de souffrir. Sa danse finit par s'en ressentir car il dépensait sa force vitale sans aucune considération et répandait sa semence dans la jouissance.

Un événement inattendu allait pourtant remettre Shambhala sur la bonne voie. Il avait succombé par faiblesse à la luxure. Ce fut l'orgueil qui, en quelque sorte, le sauva.

Un soir qu'il se rendait au grand temple, alors qu'il n'avait pas prévenu son amante de sa visite, on lui répondit que Lalitâ se trouvait en compagnie de son maître de danse et qu'elle ne souhaitait pas être dérangée. Incrédule, certain qu'on n'avait pas clairement transmis son message, Shambhala exprima un désir pressant de voir la danseuse.

Cette fois, elle lui fit répondre qu'elle avait très bien compris le message, qu'elle n'avait pas l'intention de se libérer et qu'il n'avait qu'à se satisfaire avec une autre danseuse si l'envie de la chair l'aiguillonnait à ce point.

L'humiliation fut cuisante. Essuyant l'affront que Lalitâ venait de lui faire subir, Shambhala rentra au palais en se promettant de ne plus jamais céder à l'appel des sens.

Spandananda donnait le *darshan* dans la cour intérieure. Shambhala se prosterna devant le guru et lui demanda intérieurement la force de résister au désir qui avait failli lui faire sacrifier son amour de la danse pour une danseuse.

❑

Éconduit de façon aussi cavalière, Shambhala combattit assez facilement l'impulsion de courir chez Lalitâ. Freiner ses pensées se révéla cependant plus ardu. Les leçons étaient terminées et la danseuse ne fit aucun effort pour revoir le garçon qui, bien que bénissant cette froideur qui lui facilitait les choses, souffrit de se sentir délaissé.

La femme continuait cependant à hanter son imagination et il eut à lutter contre des visions troublantes au cours desquelles il revivait chaque nuit passée en compagnie de la courtisane. Il lui faisait encore l'amour en rêve et dut limiter ses heures de sommeil au strict minimum pour se débarrasser des rêves érotiques qui le maintenaient sous l'empire de ses sens et l'empêchaient de se consacrer corps et âme à son art.

Le danseur se désola de tout le temps qu'il avait perdu et, fatigué par son combat contre la chair, se mit à broyer du noir. Le bon Bhâktananda, avec qui il poursuivait toujours ses études de sanscrit, lui rappela ce que le Seigneur Krishna dit à Arjuna dans la *Bhagavad-Gîtâ*:

> Sur ce sentier du yoga, aucun effort n'est jamais perdu, aucun obstacle ne prévaut et même seulement un peu de *dharma* protège d'une grande peur.

Ce fut son grammairien qui apprit au jeune homme que le désir sexuel était aussi la danse de Shiva, que c'était là une manifestation de la Shakti et que, s'il était bien sûr important de dominer ses instincts, ce n'était pas en les niant qu'il y arriverait.

Sceptique, Shambhala regarda son vieux maître. Bhâktananda savait certainement ce dont il parlait: il avait vécu toutes les étapes qu'un brahmane devait franchir pour atteindre à la perfection. Il avait été ascète, puis il s'était marié et avait élevé des enfants; ensuite, il avait vécu en ermite dans la forêt et enfin, devenu moine, il avait renoncé à tout pour se mettre au service du guru en devenant précepteur de sanscrit à la cour. Shambhala envia soudain son âge avancé et la paix des sens qui l'accompagnait. Devinant sa pensée, le vieil homme lui dit que la luxure restait une tentation à surmonter tant qu'on vivait dans un corps physique et qu'il valait mieux apprendre à ne pas en être l'esclave dès le plus jeune âge.

Il expliqua ensuite avec force détails comment se formaient les impressions. Une fois une action posée, elle créait une empreinte psychique. L'esprit cherchait alors naturellement à y retourner, ce qui poussait à reproduire encore et encore les mêmes actions. Les impressions persistant d'une vie à l'autre, on avait tendance à répéter ses karmas.

Shambhala comprit la racine de son obsession pour Lalitâ: chaque fois qu'il avait cédé à son désir, chaque fois qu'il avait nourri sa passion, même si ce n'était qu'en pensée, une marque avait été profondément gravée en lui par le désir et il lui était devenu apparemment impossible de l'effacer.

Bhâktananda le rassura: le temps finirait par avoir raison des impressions, le temps et le mantra, à la condition qu'il ne laisse plus son imagination divaguer. Il devait à tout prix discipliner son esprit et lui interdire tout vagabondage. Ce n'est qu'à ce prix qu'il triompherait.

Peu de temps après sa longue conversation avec le moine, Shambhala se présenta au *darshan.* Il avait revêtu un pagne safran et s'était drapé les épaules dans un châle jaune, couleur de la chasteté du jeune brahmane. Il dut rester un bon moment debout devant le guru car le courtisan qui le précédait dans la ligne de *darshan* demeura prosterné très longtemps, face contre terre, paumes ouvertes. Shambhala avait le pied droit avancé et s'apprêtait à s'agenouiller quand Spandananda tourna les yeux vers lui.

Le danseur sentit la transformation s'opérer: il n'était plus le jeune homme vicieux qu'il croyait être. Il était Arjuna, vaillant guerrier dont le chariot lancé dans la bataille contre ses ennemis intérieurs était conduit par Krishna lui-même; il avait remis son âme entre les mains du Divin Cocher, lui demandant humblement de l'instruire dans l'art de la guerre contre la luxure. Spandananda sourit au jeune homme silencieux qui se prosterna enfin devant lui et le guru songea que Shambhala avait bien changé depuis le départ de son père.

❑

La plus jeune des nombreux enfants du maharadjah était une fillette de quatre ans, espiègle et aventureuse, qui se baladait à son gré dans le palais et les jardins, semant derrière elle les servantes qui avaient depuis longtemps perdu l'espoir de contenir l'exubérance de cette petite. Toute la cour connaissait et adorait Gopî qui avait ses entrées aux cuisines où on la gavait de sucreries, pouvait grimper sur les genoux du guru quand bon lui semblait et se permettait de faire irruption chez le maharadjah en plein conseil des ministres sans que son père manifestât jamais le moindre mécontentement.

Malgré son audace enfantine, Gopî était d'une telle spontanéité que ses actions ne déplaisaient jamais. C'est pour cette raison que Shambhala, qui ne permettait à personne d'autre qu'à ses frères musiciens de le voir danser, tolérait la fillette à ses exercices quotidiens. La petite surgissait dans la cour intérieure dès le lever du soleil, encore ensommeillée, les cheveux en bataille. Elle s'asseyait tranquillement sur un coussin que la mère de Shambhala avait l'habitude de lui apporter chaque matin. Elle ne bougeait pas tant que Shambhala dansait, gardant les yeux fixés sur chacun de ses mouvements et chacune des expressions de son visage.

Quand la séance était terminée et que Shambhala s'asseyait pour méditer, Gopî l'attendait patiemment, chuchotant avec ses frères qui rangeaient leurs instruments, marchant sur la pointe des pieds.

Dès que le danseur émergeait de sa contemplation, Gopî s'approchait doucement de lui, avec un instinct très sûr, veillant soigneusement à ne pas le brusquer. Lorsqu'elle glissait enfin sa petite main tiède dans la sienne, Shambhala était toujours ravi de voir la fillette. Il la soulevait alors joyeusement de terre, l'asseyait sur ses épaules et partait au galop dans les allées du jardin jusqu'au parc des biches. Le serviteur qui était chargé de les nourrir se montrait conciliant et leur permettait d'aller flatter les bêtes qui n'étaient pas très farouches.

Il y avait, ce printemps-là, un faon nouveau-né qui ressemblait tout à fait à Gopî. La petite avait, en effet, des yeux de biche et le jeune animal jetait sur le monde le même regard innocent. Elle l'avait pris en affection et riait aux éclats quand Shambhala, pour la centième fois, faisait mine de remarquer enfin leur ressemblance.

Ensuite, le danseur et la petite fille allaient voir les perroquets et les mainates qui jacassaient dans une grande volière. Ils passaient la fin de la matinée à tresser des guirlandes de fleurs qu'ils allaient ensuite offrir à Spandananda.

Celui-ci se réjouissait de l'amitié entre Gopî et Shambhala: l'innocence de l'enfant était rafraîchissante pour le jeune homme après l'épreuve qu'il venait de subir et l'enthousiasme de la petite l'absorbait tellement qu'il en oublia bientôt ses tourments. La grâce naturelle dont Gopî débordait devint une véritable source d'inspiration pour le danseur qui ne se lassait pas de la voir courir et virevolter, son petit corps toujours en mouvement, changeant de rythme pour se couler dans le rythme des choses et du temps, capable de passer de la plus parfaite immobilité à un fou rire qui la secouait tout entière.

❑

Son précepteur ayant décidé qu'il était temps d'aborder l'étude des aphorismes de Shiva, Shambhala, bon élève, se mit à répéter constamment le premier aphorisme dans l'espoir que cette répétition lui ouvrirait les portes de cet état de totale liberté dont Bhâktananda lui avait abondamment parlé en guise d'introduction.

Shambhala répétait la formule en sanscrit tout en arpentant les allées sinueuses du vaste parc entourant le palais. Le Soi est totalement libre, lui avait expliqué son maître grammairien. Shambhala plaçait un pied devant l'autre, enchaînait une syllabe après l'autre et recommençait.

Durant de brefs instants, il lui semblait que la voix intérieure se taisait. Pendant dix secondes peut-être, il ne pensait plus: «Tiens! les premières mangues de la saison», ou bien: «Quel est cet insecte?» ou encore: «J'ai dû me luxer un muscle du mollet gauche, c'est douloureux.» Le temps d'un miracle, la voix s'était tue et le monde pénétrait en trombe dans la conscience émerveillée de Shambhala. Ah! combien extraordinaire était le monde de la réalité!

L'état de grâce ne durait pas mais, tandis que le jeune homme se concentrait sur le premier aphorisme, il expérimentait ces instants d'ouverture et cela lui rappelait sa façon de voir les choses quand il était enfant, cela évoquait il ne savait quel paradis perdu.

Cependant, son esprit reprenait presque aussitôt son cours normal, le voile s'épaississait, le mental accolait à une vitesse folle des noms aux choses et la réalité, la superbe réalité s'évanouissait dans un point de fuite, lui échappant à jamais.

Persévérant, Shambhala répétait pourtant la formule et s'amusait presque de voir sa conscience s'allumer et s'éteindre comme une luciole. Il s'aperçut tout à coup qu'il était arrivé dans le jardin de roses, là où Spandananda venait parfois s'asseoir.

L'esprit du danseur s'envola dans une rêverie au cours de laquelle le guru se trouvait assis sous la charmille parfumée où il avait son fauteuil. Spandananda lui faisait signe de s'approcher; Shambhala se prosternait alors humblement à ses pieds puis levait vers son maître un visage souriant.

Shambhala s'aperçut qu'un sourire lui était venu aux lèvres tandis qu'il rêvait en marchant d'un pas devenu nonchalant. Quelque chose capta son attention et le fit bondir hors de son monde imaginaire. Quelque chose d'orange et de puissant, quelque chose d'à peine distinct dans la nuit tombante, quelque chose qui secoua la torpeur de son esprit et l'expulsa de sa fantaisie.

Il s'arrêta net. Spandananda était effectivement assis sous le berceau de verdure et d'églantiers au milieu des statues bleues à peine distinctes dans la nuit tombante. Sans réfléchir, Shambhala joignit les mains sur sa poitrine, baissa la tête, ferma les yeux. Voilà. C'était là le sens même de la formule. Un incroyable silence, un vide intense qui vous propulsait au cœur même de la réalité.

Shambhala se trouvait à quelques pas du guru et il n'osa pas s'avancer davantage vers lui. Il obliqua sur la gauche, se dirigeant vers le feu perpétuel qui brûlait dans un puits.

Il regarda les flammes un moment, son cœur battant à se rompre. Un petit groupe d'enfants était réuni autour du feu: tranquilles, ils observaient le guru à la dérobée. Le plus petit, un bambin qui commençait à peine à marcher, s'éloigna dans l'allée.

Shambhala se retourna pour jeter un dernier regard au guru avant de poursuivre sa promenade. Il vit que celui-ci se trouvait en compagnie du maharadjah. Le disciple, impassible, était assis à la droite de Spandananda; sa posture était impeccable et il respirait la révérence. Le jeune homme tendit l'oreille pour saisir des bribes de leur conversation, mais il se rendit compte que le guru et le disciple ne parlaient pas. Ils étaient assis dans la pénombre et communiaient en silence. Shambhala fut jaloux de l'intimité entre le maharadjah et le guru.

Spandananda éleva alors la voix et, s'adressant aux enfants, il leur dit de ramener le petit garçon au palais. Le bambin essayait péniblement de grimper sur le socle d'une statue et risquait de se faire mal. Shambhala se rappela que, lorsqu'il était petit, Spandananda le laissait s'asseoir à ses pieds pour ranger dans un panier d'osier les guirlandes de fleurs et les noix de coco que lui offraient ses fidèles. Il se rappela la tendresse que le guru avait alors pour lui et il se mit à regretter amèrement les marques d'affection dont il se sentait désormais privé.

Le jeune homme reprit sa promenade, le cœur lourd de chagrin. Il savait fort bien que l'Atman ne souffre pas, que le Soi ne connaît pas la différence entre le plaisir et la peine, que cette tristesse qu'il éprouvait était pure illusion.

Pourtant, il était triste, indéniablement triste. Il marcha encore longtemps dans les jardins. La nuit était maintenant complètement tombée et les étoiles brillaient dans le ciel. Des serviteurs avaient commencé à allumer des torches ici et là de sorte qu'il y voyait à peu près, bien que la nuit fût sans lune.

Quand il repassa devant la charmille sous laquelle Spandananda était assis plus tôt dans la soirée, Shambhala se recueillit devant le fauteuil vide, priant intérieurement le guru de lui témoigner de cette tendresse dont il avait faim.

Un bruit le fit sursauter. Il releva la tête juste à temps pour apercevoir dans la lumière de la torche un écureuil rayé qu'il avait effrayé et qui s'enfuyait le long de la tonnelle.

Les traits blancs sur le dos du petit animal brillèrent un instant et le cœur de Shambhala s'emplit aussitôt d'une douceur exquise: Spandananda l'avait donc entendu!

Il se releva, souriant, retrouvant avec délice un souvenir vieux de plusieurs années. Assis sur les genoux du guru, il écoutait avidement celui-ci lui raconter comment le Seigneur Râma avait consolé les écureuils. Ceux-ci se plaignaient d'être bousculés par les hommes-singes et par les ours qu'ils aidaient à construire le pont qui les conduirait à Lanka où Sita se trouvait prisonnière du roi des démons. Les écureuils s'affairaient à colmater les pierres que les grands animaux transportaient et lançaient avec force sans grande considération pour leurs minuscules congénères dont ils écrasaient une patte ou piétinaient le bout de la queue.

Râma, plein de compassion pour les petites bêtes, avait tendrement passé trois doigts dans la fourrure de leur dos pour leur redonner du cœur à l'ouvrage. Et c'était pourquoi, désormais, les descendants de ces écureuils portaient trois rayures sur le dos en souvenir de l'affection que Râma avait témoignée à leurs ancêtres.

Shambhala avait, en un éclair, senti la main du guru courir le long de son dos, au moment où il avait relevé la tête et aperçu l'animal effrayé. Il se promena dans le jardin de roses un moment. Leur odeur enivrante lui caressa les narines: il respira à pleins poumons une rose blanche épanouie au parfum suave, une rose rouge presque noire dans le clair-obscur, tellement odorante, presque sucrée! Il se délecta de l'amour des roses, de l'amour du guru. Celui-ci ne disait-il pas que c'était le *dharma* des roses que d'exhaler l'amour? Il se répéta encore une fois le premier aphorisme de Shiva et sentit son âme s'envoler de sa prison de douleur.

❑

Shambhala lisait dans les pensées depuis qu'il était tout petit, cela lui était naturel. Le guru communiquait très peu avec lui verbalement, lui transmettant la plupart de ses messages par télépathie afin de lui permettre de raffiner sa sensibilité aux ondes mentales.

Comme la plupart des disciples réceptifs aux commandements subtils du guru, Shambhala avait cependant le défaut de mettre en doute ce qu'il captait dès que cela ne correspondait pas à ses propres désirs.

Un jour, il avait entendu, avec une netteté pourtant indubitable:

— Plus de lait! Tu dois cesser de boire du lait!

Shambhala s'imagina que c'était là une pensée bizarre qui avait, sans raison, surgi dans son cerveau. Dans son for intérieur, il savait pourtant que le commandement émanait de Spandananda mais il lui répugnait tant qu'il s'était menti à lui-même.

Pourquoi le guru exigerait-il qu'il cessât de boire du lait? Shambhala adorait le lait sucré: c'était là sa seule gourmandise. Il se serait volontiers sustenté uniquement de lait sucré, toute autre forme d'aliment lui étant à peu près indifférente. Il aimait le lait et ne comprenait absolument pas en quoi le produit de la vache, animal sacré, pouvait lui être néfaste. Il avait donc décidé de ne pas tenir compte de cet avertissement.

Mais quand, voyant que les crises de convulsions se multipliaient, le médecin lui avait formellement interdit le lait, Shambhala avait dû plier. Et, comme par miracle, les crises avaient cessé.

Il avait alors compris qu'il aurait pu s'épargner des mois de souffrance s'il avait seulement obéi au commandement télépathique.

Dans les mois qui suivirent le départ de son père en mission pour Lanka, il entendit avec une clarté stupéfiante la voix du guru lui ordonner:

— Tu dois renoncer à la danse, Shambhala. Tu dois obéir à ton père.

Le jeune homme crut, encore une fois, qu'il était le jouet de son imagination. La voix intérieure avait pourtant le timbre et la tonalité de la voix du guru; aucun démon n'aurait pu l'imiter avec une aussi grande perfection. Se mentant sans vergogne, Shambhala se dit pourtant que c'était là le démon du remords qui le tourmentait depuis qu'il avait souhaité que son père fût éloigné du royaume.

Il ne se pouvait pas que le Seigneur de la Danse exigeât cela de lui. Il ne vivait que pour danser! Comment le guru, qui était l'incarnation vivante de Shiva, pouvait-il exiger qu'il cessât de danser? Cela ne se pouvait pas.

C'est ainsi que Shambhala, imperceptiblement, commença à s'éloigner du guru. Sans se l'avouer, il se mit à fuir Spandananda, oubliant de se rendre au *darshan*, s'asseyant derrière un pilier du temple pour éviter le regard du maître quand celui-ci était présent au chant du soir.

Il en vint même à craindre la méditation car dès qu'il fermait les yeux et se laissait emporter dans le noir, la voix résonnait de nouveau, impérieuse;

— Tu dois renoncer à la danse, Shambhala. Tu dois obéir à ton père.

❑

Shambhala fit appel à ses frères pour l'aider à construire une plate-forme près de la rivière afin qu'il puisse danser à l'abri des regards indiscrets. Toute la journée, il avait réussi à maintenir sa pensée centrée sur Shiva, au point qu'il avait senti, à maintes reprises, la présence du dieu qui chuchotait à son oreille.

Il avait transporté le bois avec ses frères: pourtant, ce n'étaient pas les pieds d'ébène de Lakshman qu'il suivait des yeux tandis qu'ils longeaient la rivière, mais les magnifiques pieds bleus de Nataraj. Il voyait les talons massifs s'enfoncer dans la mousse, les orteils s'écarter, la plante se soulever puissamment. Le dieu se tournait alors vers lui, lui faisant un clin d'œil, tandis que Lakshman pestait parce que Shambhala rêvassait encore et retardait leur progression.

Il plantait des clous dans les madriers mais c'était le battement des boucles de Shiva livré à sa danse cosmique qu'il entendait; il répondait aux plaisanteries de Shatrughna par un sourire et c'était le beau visage enduit de cendres sacrées du dieu dansant qu'il voyait sur celui de Bhârata. Levant la tête vers le feuillage bruissant du banian, c'était encore Nataraj qu'il pressentait dans la danse de l'arbre dans le vent. Le cœur dilaté d'amour, Shambhala avait passé toute la journée à se rappeler Shiva comme il se l'était promis à l'aube ce matin-là et sa concentration portait fruit. Ses frères rentrèrent souper mais Shambhala s'attarda.

Il gambada sur la plate-forme qui sentait le bois frais. Il faisait déjà nuit mais il y avait un clair de lune splendide. Délaissant les mouvements du Bhâratanatyam qu'il maîtrisait parfaitement, Shambhala improvisa une danse sauvage qui le laissa pantelant. Il dansait mais ce n'était plus lui qui dansait. Une force mystérieuse le soulevait littéralement de terre et Shambhala bondissait, échappant par instants à la pesanteur. Shiva, qu'il avait invoqué toute la journée, le possédait corps et âme, l'entraînant dans une griserie essoufflée.

La danse cessa peu à peu et Shambhala s'assit pour méditer, en paix, goûtant un bonheur plein de promesses. À quelques pas, la rivière murmurait et le vent, qui venait de se lever, chantait. Le sang courait dans ses veines, rapide, bouillonnant, et des bulles de lumière éclatèrent dans son corps tandis que le mantra, venu des profondeurs de ses cellules, retentissait avec la force d'un gong. *Om* se réverbérait dans tous ses os, *Na* tonnait à la base de sa colonne vertébrale, *Mah* glissait dans ses artères et dans ses veines et jusqu'aux extrémités les plus fines de ses capillaires sanguins, *Shi* crépitait dans son ventre et *Va*, comme une grande tourmente de vent, balayait ses poumons, roulait dans son cœur et s'engouffrait dans sa gorge tandis que *Ya* chuintait dans ses oreilles et se perdait dans le silence parfait du triangle renversé entre ses sourcils.

— *Om Namah Shivaya*, répéta Shambhala à voix haute en ouvrant les yeux sur la rivière baignée de reflets argentés.

Il joignit les mains sur sa poitrine, baissa la tête. Il lui sembla enfin comprendre le mantra que lui avait transmis le maharadjah alors qu'il n'était qu'un petit garçon affolé qui s'était réfugié dans le sanctuaire du grand temple du dieu dansant. Assis en lotus au milieu de la plate-forme, Shambhala déploya ses doigts dans un geste d'offrande: ses mains étaient bleues et il sut que c'était le Nataraj lui-même qui formait avec ses doigts le *mudrâ* de l'abandon à la grâce de Dieu.

❑

C'est vers cette époque que le danseur fit un rêve qui le bouleversa. Cela se passait dans l'île de Lanka. Il ne s'y était jamais rendu mais le lieu lui apparut avec une précision remarquable: il vit des fortifications géantes en pierre grise, ponctuées de tours surmontées de têtes de lion dorées. Il rêva qu'il avait la capacité d'augmenter de volume comme Hanumân, le parfait serviteur de Râma, l'homme-singe à la queue flamboyante. Comme dans le *Râmâyana*, Shambhala volait au-dessus de l'océan et atterrissait à Lanka, ses lourdes pattes d'homme de la jungle écrasant les trottoirs sertis de pierres précieuses.

Il reprenait aussitôt ses proportions normales et sa mince silhouette de danseur. Redevenu lui-même, il marchait non plus dans la Lanka mythique, citadelle du roi des démons, mais dans la ville réelle où son père négociait avec le souverain déchu l'entretien des réservoirs si essentiels à la culture du riz.

Puis, il marchait de nouveau sur les trottoirs pavés de jade et de lapis-lazuli de la Lanka mythique, se dirigeant vers la demeure du diplomate Chola dont on lui avait indiqué l'emplacement. La végétation de l'île était particulièrement luxuriante et il se trouva bientôt dans une large allée bordée de flamboyants peuplés d'oiseaux. Des essaims d'insectes invisibles émettaient un crissement strident sous le soleil ardent du milieu du jour. La scène avait toutes les apparences du réel: il savait pourtant qu'il rêvait.

Il savait que c'était l'après-midi et qu'il faisait la sieste dans sa chambre. Son corps, bien que plongé dans un profond sommeil, se déplaçait pourtant, au même moment, dans la ville déserte vers la maison de son père. Les joyaux sous ses pieds, dont les reflets l'aveuglaient par instants, étaient de la substance même du rêve et lui rappelaient constamment qu'il rêvait.

Il se trouva devant une imposante bâtisse de brique rose entourée de palmiers. Un serviteur l'invita à pénétrer dans une vaste salle dallée, presque froide, au centre de laquelle des fontaines et des plantes aux feuilles géantes créaient une fraîcheur agréable. Il s'y promenait, observant les carpes qui nageaient dans le bassin central, quand le serviteur revint pour lui offrir une coupe d'eau de citronnelle sur un plateau d'argent. Shambhala se désaltéra et réitéra sa requête: il voulait voir Achyûta Sharma, ambassadeur du maharadjah de Chidambaram.

À ces mots, il se retrouva dans une autre salle, encore plus vaste que la première. Il marcha sur les dalles de marbre vers le tapis sur lequel était assis son père, à l'autre bout de la pièce.

Achyûta était tel qu'il se le rappelait dans son enfance; sa barbe et ses cheveux n'étaient pas encore blanchis par l'âge et son visage avait une sérénité que le vieillard, aigri par le désenchantement, avait perdue. Le cœur de Shambhala se serra. De revoir son père tel qu'il l'avait aimé lui faisait mal.

Les souvenirs remontèrent à la surface et il se rappela avec émotion la tendresse qui les unissait autrefois. S'avançant d'un pas de plus en plus rapide, courant presque, redevenu un garçonnet de huit ou neuf ans, Shambhala franchit la distance qui le séparait encore de son père et s'effondra aux pieds d'Achyûta qui, très doucement, le prit dans ses bras et lui caressa la tête comme il le faisait quand il était tout petit.

Shambhala se réveilla en sursaut, le visage noyé de vraies larmes, une douleur intense étreignait sa poitrine, une douleur telle qu'il en gémit, alertant son frère qui dormait à côté de lui. Lakshman se réveilla brusquement et vit un tel abîme de détresse dans les yeux de Shambhala qu'il en fut stupéfait. Il ne dit rien, se contentant d'aller chercher un peu d'eau et de faire boire son cadet qui, honteux d'avoir pleuré, hoquetait encore.

❑

À la suite de ce rêve, Shambhala se sentit violemment déchiré. D'une part, il aimait son père et voulait respecter son *dharma* filial. D'autre part, il aimait la danse par-dessus tout.

Un jour, il se mit en colère contre Râjendra qui avait eu le malheur de s'installer pour méditer sur la plate-forme que le jeune homme venait de construire avec ses frères près de la rivière. Il chassa l'intrus, lui disant que cette plate-forme était son «espace personnel». Le gros garçon quitta les lieux de mauvaise grâce, alléguant que Shambhala comprendrait un jour qu'il n'existait pas d'espace personnel.

Furieux, celui-ci rétorqua qu'il existait, pour chaque personne, quelle que soit sa caste, une zone dont elle était le seul maître et que c'était la responsabilité de chacun que d'en faire respecter les frontières! Le jeune homme flambait d'une sainte colère, à tel point que Râjendra battit prudemment en retraite.

L'incident ébranla Shambhala. Il se mit à se demander si le fils du maharadjah n'avait pas raison, après tout. Peut-être, en effet, n'avait-il pas le droit d'exiger qu'on le laisse danser. Peut-être lui fallait-il effectivement se plier aux ordres de son père et aux commandements télépathiques du guru, renoncer à la danse et se mettre à l'étude de l'*Arthashâstra*, traité sur l'art de gouverner qu'un ministre royal se devait de connaître à fond?

La tension entre ces autorités et sa propre volonté, terriblement tenace, devint telle que Shambhala fut bientôt incapable de danser, tout en étant incapable d'y renoncer.

Il se rendait à la plate-forme près de la rivière tous les matins. Ses frères préparaient leurs instruments, Shambhala se livrait à quelques exercices d'assouplissement, mais dès les premières mesures du tambour il avait le cœur qui se serrait si fort dans sa poitrine que la douleur, aiguë, le forçait aussitôt à s'arrêter.

Le médecin lui conseilla du repos, beaucoup de repos, le rassurant, lui affirmant que le mal n'était qu'un symptôme d'anxiété.

Un jour où il s'était enfin résolu à retourner au *darshan*, affolé par cette douleur et le conflit qui en était la cause, le guru lui demanda, avec beaucoup de compassion:

— Tu souffres de douleurs à la poitrine?

Shambhala en resta bouche bée. Le guru était donc sensible à ce point à l'état de santé de ses sujets? Shambhala crut que le médecin avait dû faire part à Spandananda de la raison pour laquelle le danseur l'avait consulté. Il finit pas répondre timidement que oui, il souffrait de douleurs à la poitrine. Le guru insista: allait-il mieux? Shambhala répondit que oui, il allait beaucoup mieux.

Depuis que le médecin lui avait appris que ce n'était que l'inquiétude qui faisait s'emballer son cœur, la douleur avait, en effet, desserré son emprise. Il respirait mieux et, s'il se désolait de ne pouvoir danser, il n'en dit évidemment rien au guru de crainte que celui-ci ne le désapprouvât ouvertement.

La sollicitude de Spandananda le toucha: dans les profonds yeux noirs du guru, il perçut un rayon de lumière qui sondait non seulement son corps mais aussi son âme déchirée. Il comprit que le maître savait tout du combat féroce qui se livrait en lui. La bonté du guru mit du baume sur sa souffrance et il s'aperçut bientôt que le mal avait complètement lâché prise.

CHAPITRE V

Le rebelle

Shambhala était passé maître dans l'art de contrôler l'avidité de ses sens: il ne regardait pas ce qui ne le concernait pas, il ne prêtait pas l'oreille aux conversations des autres, aux bruits même, aux cris des animaux. Dès qu'il sentait son esprit s'intéresser à quelque objet extérieur, il lui ordonnait immédiatement de cesser de s'agiter et de se tourner vers l'intérieur.

Le danseur ne se lassait pas du spectacle de la beauté mais il réussit pourtant à se discipliner au point d'effleurer d'un même regard une joue fraîche comme une peau fanée. Il détournait les yeux dès que des iris lumineux rencontraient les siens, soucieux d'éviter le piège de l'attachement.

L'équanimité était un art délicat mais sa pratique portait fruit: Shambhala sentait que toutes les restrictions d'attention qu'il s'imposait lui permettaient de conserver la grâce plutôt que de la dissiper en menus investissements.

Par contre, quand quelque incident le bouleversait, il avait bien du mal à empêcher son attention de s'engouffrer avec véhémence dans la mémoire de l'événement. Généralement, son esprit devenait bien vite obsédé, passant et repassant la scène, répétant les mots entendus, les gestes posés, lui présentant sans répit ce qui l'avait blessé, rejouant ce qui avait déclenché la colère ou la peur.

Il lui était extrêmement ardu de nager à contre-courant de ses émotions, de remonter jusqu'à leur source, jusqu'à ce centre de tranquillité absolue au cœur de la plus violente vague de sentiments.

Depuis que Spandananda envahissait sa pensée pour l'exhorter à renoncer à la danse, Shambhala s'était réfugié dans un recoin de son cœur. Là, personne ne l'atteindrait, même pas le guru. Personne. Il y était seul, apeuré et contracté, mais cet espace était le sien et il en interdirait l'accès à quiconque, envers et contre tout.

Ses méditations le conduisaient là, désormais, dans cette chambre secrète où il se découvrait une âme totalement athée. À son grand étonnement, Shambhala, qui s'était toujours cru rempli de dévotion, s'enfonçait davantage chaque jour dans une zone enténébrée. Là, il n'y avait aucune place pour la grâce, aucune fissure par laquelle la lumière aurait pu s'infiltrer. Ce lieu était parfaitement clos, lisse, dur: c'était un temple de pierre noire hanté par la terreur, isolé du reste de l'univers. Shambhala s'y sentait comme un animal sauvage pris au piège. Il y attendait, tapi dans l'obscurité, que ses ennemis fondent sur lui, que le malheur s'abatte, que tout s'écroule.

Dans cette tension perpétuelle, sa seule échappée possible était de passer à une autre dimension. Il ne pouvait concevoir le combat: ses ennemis lui semblaient trop puissants. Il ne pouvait que s'évader par l'imagination de cet enfer d'épouvante. Il rêvait: depuis qu'il était enfant, il rêvait.

Prostré dans le noir, Shambhala prit conscience de son âme souffrante. Il se mit à se désoler de sa mauvaise foi. Il souhaita que s'ouvre cette forteresse inexpugnable dans laquelle il étouffait.

Une pâle lueur bleue teinta alors les ténèbres un bref instant. Shambhala sentit la présence du guru dans la caverne de son cœur. Il pleura de remords, le suppliant de l'aider à vaincre cette résistance qu'il sentait en lui, cette volonté forcenée de refuser d'obéir.

Il reprit l'habitude d'aller au *darshan* le matin, offrant à Spandananda une noix de coco dure comme son cœur, posant son front sur le sol, abandonnant au guru tout ce qu'il y avait en lui de rebelle.

Un soir où le guru avait invité la cour à venir le rencontrer, Shambhala fut accablé de fatigue au point qu'il décida de se mettre au lit très tôt et de ne pas se rendre à cette réunion. Il lui sembla que mille démons le tenaient attaché et que toute la volonté du monde n'arriverait jamais à l'arracher à leur étreinte.

Le lendemain matin, Bhâktananda lui rapporta que le guru avait voulu signaler à la communauté des fidèles que les astres favorisaient en cette période l'émergence des émotions les plus néfastes et qu'il fallait être sur ses gardes afin de ne pas se laisser submerger par l'orgueil, l'envie, la luxure, la peur, la colère ou la jalousie.

Cela rassura Shambhala: il n'était donc pas le seul dans cet univers à être la proie des démons! Sa tâche n'en fut pas pour autant plus aisée: un raz-de-marée d'angoisse le submergea ce matin-là tandis qu'il courait autour du pré au milieu duquel se trouvait, autrefois, un temple dédié à Ganesh.

Spandananda avait déclaré que déambuler autour de ce pré procurait autant de mérites que si la statue de Ganesh s'y trouvait encore, car le lieu était resté imprégné des prières de ceux qui avaient vénéré le Seigneur des Obstacles pendant des siècles et des siècles.

Le jeune homme fit plusieurs fois le tour du pré, aux prises avec une anxiété sans nom, vaste comme le cosmos, insondable, éternelle. Du plus profond de son désespoir, Shambhala appela la lumière.

❑

Dans un des méandres de la rivière, assez loin du palais, se dressait une ruine dont personne ne pouvait se rappeler l'origine.

Un escalier de pierre en colimaçon conduisait à une terrasse envahie par la jungle. Shambhala et ses frères y montaient pour plonger dans la rivière dont les eaux d'un vert laiteux étaient agréablement rafraîchissantes pendant la saison chaude.

Shambhala aimait particulièrement cet endroit et il lui arrivait de s'y rendre malgré la chaleur étouffante de l'après-midi. Assis à l'ombre d'un manguier dont les fruits pendaient au-dessus de la construction en pierre décrépite, le garçon se laissait bercer par le clapotis de l'eau et le chant des cigales. Son esprit s'immobilisait bientôt et il savourait ces moments de calme.

Un jour qu'il méditait ainsi, les yeux clos, attentif à sa respiration, au flux et au reflux du mantra, Shambhala vit une flamme qu'on balançait devant quelque déité perdue dans les ténèbres de son âme. De cette flamme émergea un être bleu qui se dissipa aussitôt dans le noir.

L'ayant reconnu, Shambhala l'appela mais le dieu dansant lui échappa. Une puissante main froide s'empara pourtant de sa main droite et la sensation dans son corps subtil fut si forte qu'il en fut tout secoué. Il ouvrit les yeux quelques instants. Quand il les ferma de nouveau, il eut le sentiment que la terre tremblait et vibrait tandis qu'il s'enfonçait dans un autre monde, guidé par la main du dieu.

Il se retrouva sur les bords d'un abysse. Il en sentit le souffle glacial sur sa poitrine. Devant lui s'ouvrait une vaste étendue, marine et cosmique à la fois, vertigineusement profonde. Shambhala n'éprouva aucune crainte et cela le surprit: ce vide aurait dû le terrifier. Où donc trouvait-il la force de résister à la panique? Il se souvint de la main bleue qui tenait toujours fermement la sienne.

Un bruit de plus en plus insistant le rappela cependant à son état de conscience habituel. Lakshman était venu le rejoindre et s'ébrouait bruyamment dans la rivière.

Shambhala grimpa jusqu'à la tour d'où il plongea, exécutant un saut de l'ange impeccable. Il entra dans l'eau sans créer le moindre remous à la surface de la rivière au méandre paresseux. Il nagea longtemps sous l'eau pour effrayer son frère qui se laissait prendre à tout coup aux facéties du benjamin dont les capacités respiratoires hors du commun lui permettaient, il le savait pourtant, de retenir son souffle de longues minutes.

Lakshman se fâcha et repartit en direction du palais sans adresser la parole à Shambhala. Celui-ci s'amusa de la susceptibilité de son frère et retourna à sa rêverie.

Il erra bientôt dans des images du passé: tout ce qu'il voyait lui était étrangement familier: pourtant, il s'agissait de toute évidence d'une très lointaine culture disparue depuis longtemps. Il vit un mur de lumière fait de trillions de nuances de bleu, un très haut mur se dressant devant un océan dont les embruns le glaçaient. Sa peau était bleue et son corps d'alors était celui d'une femme.

❑

Shambhala sursauta tout à coup. Il avait dû somnoler un bon moment car les ombres s'étaient allongées. Une irrépressible angoisse étreignit le jeune homme. L'arbre lourd de fruits semblait le menacer. Il se secoua, plongea de nouveau, nagea un moment. L'angoisse ne le lâchait pas: ses membres étaient gourds, il respirait mal et une force inconnue l'attirait vers le fond de la rivière.

Il se dégagea de son emprise en quelques brasses vigoureuses, prit pied sur la rive, le cœur battant la chamade, si faible qu'il dut s'asseoir un moment avant de se mettre en route pour rentrer chez lui.

La peur: il était, encore une fois, confronté à la peur, une peur irrationnelle. Le guru avait déclaré récemment que ses disciples ne devaient en aucun cas céder à la peur: qu'ils devaient devenir maîtres de leur peur au lieu d'en être les victimes.

Shambhala ferma les yeux, se concentra sur sa peur. Il la vit comme un tigre féroce, la prunelle brillante, la gueule grande ouverte, râlant. Il respira à fond, imagina qu'il amenait ce tigre au *darshan* de Spandananda et que le fauve, dompté, posait sa tête sur les genoux du guru.

La scène échappa tout à coup au contrôle de son imagination: Spandananda prit une tout autre épaisseur, s'anima, observa le tigre en balançant la tête, frotta son menton rugueux et, pointant un index autoritaire vers Shambhala, déclara:

— Que je ne te voie plus jamais avoir peur de la folie! Tu n'es pas fou, Shambhala!

Le jeune homme sentit un long frisson le parcourir. Ses pensées volèrent en éclats pour retomber en place, plus solides, mieux organisées. Il avait, en effet, cru qu'il devenait fou. Il prit conscience de l'amour inconditionnel du guru et eut la certitude que cet amour était plus fort que la peur, beaucoup plus fort.

C'était une vérité simple mais elle s'ancra désormais en lui: il n'était pas fou. Shambhala promit de ne plus jamais se laisser aller à croire qu'il n'était plus maître de ses émotions. Bondissant sur ses pieds, il leva les bras au-dessus de sa tête en criant de joie.

Le ciel était d'une beauté spectaculaire: un typhon avait balayé le Sud quelques jours plus tôt et les nuages passaient maintenant au-dessus de Chidambaram. Des neiges roses s'accumulaient contre des montagnes anthracite parsemées de moutons d'un blanc pur. Des écharpes de nuages diaphanes s'étiraient sur le ciel irisé d'or et de rouge par le soleil couchant.

Shambhala se rappela que le monde n'était qu'une illusion mais quelle beauté que cette illusion, se disait-il, quelle aventure extraordinaire que la vie sur terre! Le jeune homme prit le chemin du retour. Le sentier était bordé de peupliers qui montaient la garde comme des guerriers célestes sous la coupole du firmament indigo.

❑

Shambhala, depuis le départ de son père pour Lanka, avait pris l'habitude de se rendre au grand temple de Nataraj pour la prière du soir. Achyûta avait toujours insisté pour que ses cinq fils assistent à la prière au palais mais Shambhala se sentait irrésistiblement attiré par le dieu de bronze aux quatre bras qui dansait dans le sanctuaire du grand temple, la poitrine rutilante de rubis et d'émeraudes.

Le jeune homme arrivait tôt et, debout au premier rang, mains jointes sur la poitrine, il attendait, avec la même émotion chaque soir, le moment où le rideau noir allait être tiré, révélant l'idole qui semblait bouger dans l'éclairage des lampes à l'huile et des flammes balancées par le prêtre.

Shiva dansait, sa main droite supérieure maniant avec dextérité le petit tambour à cordelette munie d'un poids dont les battements rythmaient, quand il le renversait, la création du monde. Son autre main droite formait le *mudrâ* de la protection, paume ouverte et tournée vers l'extérieur, préservant ainsi la création. De la main gauche supérieure, cependant, Nataraj brandissait le feu destructeur tandis qu'il piétinait du pied droit le démon nain symbolisant l'ignorance et les désirs des hommes.

Sa jambe gauche élégamment levée évoquait la grâce qu'il répandait sur l'univers tandis que l'autre main gauche, pointée avec délicatesse vers le pied suspendu, rappelait que c'était par la danse de Shiva que le cosmos tout entier était créé, maintenu en vie puis dissout en un incessant mouvement.

Le danseur était submergé de dévotion pour le dieu dansant et c'est la grâce même du Nataraj qu'il tentait de reproduire le lendemain matin dans sa danse. Chaque jeu de mains, chaque jeu de pieds, chaque expression du visage visait à évoquer cette incomparable joie dont la source se trouvait dans le cœur du fidèle. Shambhala avait toujours senti cette source jaillir en lui et sa passion était de la communiquer par le mouvement.

Pourtant, chaque fois qu'il se retrouvait devant le roi de la danse, le jeune homme sentait monter un violent ressentiment. Pourquoi la danse était-elle réservée aux femmes? Shambhala commençait à comprendre le trouble qu'il suscitait chez son père en s'obstinant à pratiquer un art que leur culture réservait aux femmes, qui seules avaient le droit de laisser le Divin s'emparer de leur corps et le secouer d'extase au rythme de la musique sacrée.

Shambhala souffrait d'avoir à adapter le costume typiquement féminin du Bhârata-natyam et, s'il laquait encore ses ongles de rouge, il avait cependant renoncé aux coiffures élaborées des danseuses, se contentant de porter une parure de tête qui mettait ses traits en valeur. Il se maquillait par contre avec recherche car comment souligner les subtiles nuances d'expression du regard sans qu'un trait de khôl en avive l'éclat?

Shambhala protestait avec véhémence dans son for intérieur: si le dieu lui-même dansait, pourquoi était-il indigne d'un mâle de l'imiter? Cela était insensé, totalement insensé, plaidait Shambhala devant l'idole indifférente et éternellement sereine, le pied gracieusement suspendu, laissant le danseur amer et seul.

Il quittait souvent l'enceinte du temple avant la fin de la cérémonie, se frayant un chemin parmi les ascètes et les mendiants, contournant le bassin pour enfin sortir des limites du domaine du dieu dansant. Il se perdait dans la cohue de la foule de Chidambaram, parmi les vaches errantes et les charrettes tirées par des buffles, l'âme en peine.

Immanquablement, le lendemain, à la même heure, Nataraj l'attirait à lui. Et chaque fois, le danseur se laissait séduire, espérant que le dieu de bronze finirait par répondre à sa question et par lui enlever le poids qu'il avait sur le cœur.

❑

À la naissance de son dixième enfant, le maharadjah, sentant sa postérité bien assurée, songea à faire le vœu de chasteté. Depuis quelques années déjà, il se languissait de surmonter le désir physique qui avait failli plus d'une fois mettre la santé délicate de Yasmine en péril. Celle-ci, avait prévenu le médecin, ne pourrait surmonter une nouvelle grossesse. Bien qu'elle se soit crue stérile après la naissance de son bébé mort-né, Yasmine avait en effet conçu à deux autres reprises et perdu chaque fois le fœtus au bout de quelques semaines.

Avec son accord et celui de ses trois autres femmes, le maharadjah voulut prendre ce vœu, désireux qu'il était de conserver son énergie sexuelle afin de se consacrer entièrement à son évolution spirituelle. Spandananda félicita le souverain de sa décision et lui laissa entendre que l'observance de ce vœu difficile lui permettrait peut-être d'atteindre la libération au cours de cette vie terrestre. Il lui conseilla pourtant d'attendre encore un an avant de le prononcer formellement.

On disait que les disciples des grands maîtres de cette lignée étaient libérés au bout de trois vies tout au plus mais l'ardeur du maharadjah à atteindre le but dès cette vie était grande et il ne voulait pas retourner dans la roue des naissances et des morts qu'il avait fait tourner pendant des milliers et des milliers d'existences. Non, le maharadjhah voulait connaître l'Atman, dès à présent, dans son corps physique actuel, sur cette terre. Sa détermination était totale, son courage invincible et il priait jour et nuit son guru de lui accorder la grâce de la libération.

Il rêva vers cette époque qu'il se rendait au tombeau d'un ancien maître. C'était la mousson et le sol recouvert d'un épais tapis d'herbe était complètement détrempé. Il était sur le point de mettre le pied sur une des roches plates qui menaient au tombeau quand il aperçut un long serpent couché sur les pierres. Cela le réveilla en sursaut.

Quand il raconta son rêve à Spandananda, celui-ci lui rappela que si un serpent le mordait au cours d'une méditation, cela signifiait qu'il allait être très bientôt libéré. Le guru ajouta que, malheureusement, ce n'était pas le cas puisqu'il avait eu cette vision en dormant et qu'il était sorti du rêve avant que le serpent ait eu la chance de l'attaquer.

Lisant la déception sur le visage de son disciple, Spandananda fut pris de fou rire. Il s'en battait les côtes. Personne d'autre n'osait rire, par respect pour le souverain qui essuyait, encore une fois, la superbe irrévérence de celui aux pieds duquel il avait déposé son royaume et sa vie.

Le guru cessa brusquement de rire et, citant un texte sacré, rappela à toute l'assemblée qu'un des obstacles majeurs sur le chemin de la libération était le désir de libération lui-même.

Le maharadjah se détendit enfin, sourit et, emboîtant le pas à Spandananda qui s'était levé pour aller faire sa promenade du soir, il tâcha d'oublier son obsession pour apprécier la douceur de l'air et l'exquis parfum des gardénias qui flottait dans le jardin.

❑

Un cercle s'était formé autour de Spandananda qui, extatique, jouait des cymbales en dansant. Il se dirigeait vers le village voisin de Chidambaram pendant que la foule de ses dévots se pressait autour de lui pour apercevoir, ne serait-ce qu'un instant, le maître bien-aimé.

C'était l'anniversaire de la mort d'Atmananda et le guru avait décidé d'honorer son propre guru en se rendant au village où le saint homme avait vécu et où il avait sa statue. Spandananda entraînait à sa suite le maharadjah et Yasmine, plusieurs ministres et courtisans ainsi qu'une centaine de disciples et de badauds happés par l'exultation générale. On chantait le nom d'Atmananda pendant qu'un tambour ouvrait la procession et rythmait la marche.

Shambhala n'était pas au palais au moment où le cortège s'ébranla, car le guru avait obéi à une impulsion soudaine et personne ne s'attendait à ce pèlerinage impromptu. Le jeune homme courut à travers champs et rattrapa Spandananda et son entourage. On le laissa entrer dans le cercle dansant entouré d'un cordon serré de gardes royaux et Shambhala s'en donna à cœur joie tout au long de la route.

Le soleil était brûlant. Shambhala sautait pieds nus, possédé par l'ivresse de la foule qui rendait hommage au saint disparu qui s'était finalement fixé à la cour de Chidambaram, donnant sa bénédiction à tout le royaume dont la prospérité avait alors décuplé.

Le maharadjah regardait Yasmine essoufflée et rouge d'excitation: la beauté sensuelle de sa bien-aimée se balançant au rythme du tambour et des cymbales lui fit un instant regretter son intention de prononcer le vœu de chasteté. Le maharadjah s'en voulut d'éprouver encore autant de désir et se dit qu'en effet il était loin d'être prêt à renoncer au plaisir charnel.

Le souverain remarqua alors le jeune Shambhala qui regardait la reine. Il vit de la concupiscence dans les yeux du garçon et le maharadjah ne put réprimer un mouvement de colère à voir ainsi celle qu'il aimait en proie au désir du jeune homme.

La chevelure dénouée, le sari trempé de sueur, Yasmine, pourtant, n'avait d'yeux que pour le guru. À l'entrée du temple où Atmananda avait sa statue, elle se fit apporter un seau d'eau pour laver les pieds du maître avant qu'il pénètre dans le temple et le maharadjah, ému par la dévotion de sa femme, en oublia sa mauvaise humeur.

Shambhala se tenait debout contre un pilier du temple et, joignant les mains sur son front, il s'inclina devant Spandananda avec un tel respect que le maharadjah ne put s'empêcher de s'attendrir sur le sort du jeune homme dont la rumeur racontait qu'il avait une liaison avec une prostituée du temple.

S'approchant de la statue de pierre noire dont les yeux luisaient dans la pénombre, le guru prit des mains d'un des brahmanes des guirlandes de fleurs de gingembre dont il entoura le cou d'Atmananda qui sembla sourire de contentement. Bhâktananda lui tendit alors un châle brodé d'or avec lequel Spandananda enveloppa les épaules de son vieux guru. Il lui apporta ensuite un turban de soie et c'est animé par un grand amour pour son maître que le guru coiffa la statue pendant que la foule massée dans le petit temple et débordant dans tout le village continuait à chanter son nom.

Shambhala, prisonnier de la foule compacte et surexcitée, priait cet Atmananda qu'il n'avait pas connu mais à qui son père devait la vie et pour lequel il avait toujours ressenti beaucoup de dévotion.

Dès qu'il eut terminé sa prière et qu'il ouvrit les yeux, Shambhala aperçut le guru qui, accompagné des souverains, s'esquivait par une porte latérale. Agile comme un chat, le jeune homme se faufila entre les gardes et rejoignit le petit groupe de dévots qui dansait dans les rues du village à la suite du guru. Ils se rendirent à la maison où avait vécu Atmananda. Les souverains montèrent sur le toit et, de là, Spandananda fit signe à la foule grossissante qui l'avait vite rejoint de retourner vers le palais.

Shambhala dansait dans la rue, le regard tourné vers le maharadjah qui, les bras levés au-dessus de sa tête, contenait le soleil du midi entre ses paumes. Yasmine, debout à côté de lui, invita à son tour la foule à rebrousser chemin.

Le garçon les regarda un moment, elle et lui, sous le soleil implacable. L'éblouissante vision d'un empire perdu très loin dans le temps le fit vaciller d'émotion. Sur une nouvelle invitation du guru, Shambhala s'éloigna.

Il s'arrêta près de la rivière à sec et, le dos appuyé contre un cocotier au tronc recourbé, il regarda la beauté du monde. Ce n'est que plus tard dans la journée qu'il rentra à Chidambaram.

Tandis qu'il s'approchait des portes du palais, Shambhala vit qu'il y avait encore foule et des cris lui parvinrent. Il aperçut le maharadjah et Yasmine sur les fortifications, en train de déverser de grands baquets d'eau sur la foule en liesse.

Le jeune homme s'avança en riant et, à travers le lourd rideau liquide qui s'abattit sur sa tête, il entrevit le guru qui sautait de joie pendant que les souverains s'amusaient à renverser les baquets de bois montés sur un socle à charnière que des serviteurs acheminaient jusqu'à eux par un système de treuils et de poulies.

Cette eau rafraîchit Shambhala de la longue marche, le lava de la poussière de la route et de toute souffrance, emporta son passé, l'inonda d'amour et de vérité, de lumière et de paix.

❑

Le guru offrit un perroquet au maharadjah à l'occasion de l'anniversaire de celui-ci. Le souverain se pencha vers Spandananda qui lui tendait l'oiseau perché sur son poignet et, présentant ses longs doigts, il attendit que le perroquet y place de lui-même les pattes, ce qui ne tarda pas à se produire, le volatile paraissant particulièrement curieux des mille reflets qui dansaient sur le turban rehaussé de pierres précieuses que le maharadjah avait coiffé en ce jour de fête. Approchant le perroquet de son visage, il tenta de lui apprendre à répéter: *Om*, la syllabe sacrée par excellence.

Mais l'oiseau, muet, se contentait de toiser le souverain, essayant parfois de picorer une pierre scintillante.

Shambhala était assis sur le tapis aux pieds du maharadjah et observait la scène. Yasmine, agenouillée près de son époux, avait tendu la main et l'oiseau, déconcerté, avait une patte sur la main de l'une et la seconde sur la main de l'autre, ne sachant sur quel pied danser. Yasmine lui fit les yeux doux pour qu'il se décide pour elle afin qu'elle puisse le déposer sur le perchoir qu'un serviteur venait d'apporter. L'oiseau, se ravisant, planta fermement les deux pattes sur la main du maharadjah. L'assemblée s'esclaffa de voir l'oiseau déjà si attaché à son maître mais Yasmine reprit son manège et le perroquet, finalement, fut installé sur son perchoir.

Shambhala baignait dans le bonheur de la fête, heureux comme un enfant, heureux d'être aux pieds de son roi qui soufflait encore: *Om* à l'oiseau imperturbable qui penchait comiquement la tête de côté.

Il y eut alors un murmure dans la foule qui s'ouvrit pour laisser passer des courtisans qui faisaient rouler une cage dans laquelle un petit singe en jaquette rouge bondissait nerveusement de tous côtés. Le maharadjah sourit, réclama des bananes qu'on s'empressa d'aller chercher aux cuisines et tenta d'apprivoiser la bête, sans grand succès.

Les musiciens se mirent à accorder leurs instruments, captant l'attention de la foule ainsi que celle du maharadjah qui attendait avec impatience le moment de savourer les chants de piété soufis qu'il aimait tant. Il avait eu l'occasion d'entendre un extraordinaire chanteur de kawali lors d'une visite à la cour d'un royaume du Nord et il l'avait fait venir à grands frais à Chidambaram dans le but de divertir ses sujets à l'occasion de son anniversaire.

Aziz était un gros homme sanguin qui chantait avec une telle passion qu'il vous arrachait à vous-même, vous transportant au-delà de l'espace et du temps dans un monde empli de la présence du Divin auquel il adressait de véhémentes incantations, susurrant parfois avec douceur pour se mettre ensuite à hurler et à postillonner, bras tendus en signe de désespoir.

Shambhala écoutait, la main sur le cœur et la prière qui montait en lui se modulait au gré de la voix du chanteur qui criait à Allah qu'il l'aimait pardessus tout, qu'il souffrait, qu'il avait besoin de son secours et de sa protection. Les larmes coulaient sur les joues du jeune homme qu'une vague d'allégresse submergea tout à coup tandis qu'Aziz entraînait son auditoire dans une montée vertigineuse qui balayait tout sur son passage, tout ce qui n'était pas l'Absolu dans sa splendeur.

Il était très tard dans la nuit quand le chanteur se tut enfin. La foule était encore sous le charme malgré la fatigue et l'inconfort: ce diable d'homme savait tenir le public en son pouvoir! Sous des applaudissements bien nourris, le maharadjah chargea Bhâktananda de fleurir de guirlandes le chanteur et de lui offrir un collier de perles. Le souverain se leva de son trône pour quitter l'assemblée, suivi par Yasmine et par Spandananda qui avait réussi à calmer le petit singe qui s'était perché sur son épaule et dévisageait la foule.

Shambhala leva les yeux vers le guru. Spandananda l'effleura brièvement du regard et cela suffit à le combler. Son âme et celle de Spandananda ne faisaient qu'une, il le sentit au moment où les yeux brûlants se posèrent délicatement sur lui. Il vit la flamme immortelle de l'Atman, une flamme haute et claire qui le réchauffa et répandit un sourire exquis sur son visage tandis qu'il se faufilait, un peu hagard, ivre de contentement, à travers la foule qui quittait la salle des fêtes.

❑

Il y avait, parmi les contes merveilleux que racontait Yasmine, une histoire qui avait toujours séduit l'imagination de Shambhala. C'était celle d'un jeune garçon qui dérobait le saphir incrusté dans le troisième œil d'une idole et qui, plongeant son regard dans l'énorme pierre précieuse, se voyait transporté dans un autre monde.

Il se retrouvait dans une région montagneuse et aride. Après avoir voyagé un certain temps, le jeune garçon du récit arrivait dans une vallée au milieu de laquelle se dressait une immense tente.

Curieux, il entrait dans la tente. Là se trouvaient cinq vieillards vêtus de blanc qui lui souriaient avec amabilité. L'un d'eux s'avançait alors vers lui et le saluait avec ces mots de bienvenue:

— Tu as finalement su retrouver ton chemin jusqu'à nous! Nous t'attendions depuis des milliers d'années.

Shambhala frissonnait de plaisir chaque fois que la reine abordait ce passage de son conte préféré. Qu'il aurait aimé vivre dans un monde magique où il suffisait de regarder dans un saphir pour se trouver transporté en un lieu où on vous attendait depuis des milliers d'années! Pendant toute son enfance, Shambhala avait rêvé qu'un jour pareille chose lui arriverait.

Or, pour la célébration de la pleine lune de juillet, qui est la pleine lune du guru, Spandananda fit élever une tente sur la colline qui dominait le parc au milieu duquel s'élevait le palais.

Le jour où Shambhala mit le pied dans cette tente, vêtu de son long pagne blanc, le front frotté de cendre sacrée et de vermillon, il comprit que son rêve se réalisait.

Spandananda avait exigé que tous ses disciples soient vêtus de blanc pour l'occasion. De moelleux tapis recouverts de peaux de moutons avaient été étendus sur le sol et quand Shambhala pénétra dans la tente, il fut saisi. Ces femmes en sari blanc et ces hommes drapés dans des châles de laine blanche, le silence remarquable qui régnait, tout cela lui rappelait l'histoire qu'il aimait tant.

Il s'assit et ferma les yeux, humant l'odeur d'ambre et de camphre, tandis que Bhâktananda faisait le tour de la tente, balançant son encensoir. Une intense lumière bleue apparut entre les sourcils de Shambhala et tout son corps trembla quand il reconnut que le saphir de l'histoire était le centre d'énergie qui se trouvait situé là où cette divine lueur venait de se manifester.

Le guru s'avança dans l'allée centrale, majestueux dans ses robes de soie rouge dont le froissement seul venait briser le silence. Spandananda s'assit dans son fauteuil et une pluie soudaine s'abattit sur la tente; les dieux étaient contents. La mousson d'été commençait et Shambhala se demanda pourquoi son père n'était pas revenu.

La pluie tomba pendant toute la durée du spectacle. Aziz, le chanteur de kawali, avait été de nouveau invité à chanter. Comme lors du spectacle précédent, le chanteur s'éternisa. Le maharadjah envoyait en vain des messages pour inciter Aziz à clore la représentation car l'auditoire, après quatre heures d'une attention irréprochable, commençait à manifester des signes de fatigue.

Spandananda était visiblement irrité de l'incapacité du chanteur à mettre fin à sa performance. Le pauvre Aziz avait beau annoncer qu'il achevait, il repartait de plus belle dans une autre envolée, ivre de son propre talent, hypnotisé par son art, dévoré par sa passion.

On s'attendait à tout moment à ce que le guru se lève et quitte dédaigneusement les lieux; mais non, Spandananda faisait preuve d'une patience exemplaire. Il battait encore la mesure, soupirait de temps en temps mais continuait d'accorder son attention à cet artiste talentueux qui ne savait plus s'arrêter. Shambhala se demanda si le guru allait finir par se fâcher. Cela l'intéressa tellement qu'il en oublia sa propre exaspération.

Une heure plus tard, Aziz chantait toujours. Quelques personnes commencèrent à se lever et à quitter la tente. Spandananda écoutait pourtant, l'air complètement détendu, détaché de l'anxiété que la salle commençait à éprouver devant le fait que le spectacle s'éternisait de façon indécente.

Shambhala n'avait plus du tout sommeil; il regardait tantôt le gros homme qui postillonnait et s'épongeait avec son mouchoir, tantôt le guru qui battait la mesure, frappant du plat de la main l'accoudoir de son fauteuil. Il comprit que c'était cette même compassion que Spandananda manifestait à son égard quand il résistait à ses commandements.

Le jeune homme se dit que le dieu dansant s'amusait sans doute à attendre que les âmes qu'il avait créées se réveillent du sommeil de la métempsycose pour se rappeler que l'individualité était le jeu de l'illusion et qu'il n'y avait, en réalité, qu'une seule âme; qu'il n'y avait, en réalité, rien d'autre que Shiva.

Le spectacle se termina enfin quand la foule, spontanément, se leva pour applaudir le chanteur qui semblait vouloir continuer; mais les ovations finirent par noyer ses dernières tentatives.

Le guru quitta alors l'assemblée et, passant à la hauteur de Shambhala, il demanda:

— Sommeil?

Shambhala comprit que non, il n'avait pas du tout sommeil. Aziz avait beau l'avoir agacé en ne voulant pas finir, le chanteur lui avait quand même permis de comprendre l'étendue de la clémence du guru.

❑

Dans la cohue d'après le spectacle, Shambhala aperçut Lalitâ qu'il n'avait plus revue depuis qu'elle l'avait si brusquement rejeté. Portée par la foule, la danseuse heurta Shambhala; leurs corps ne se touchèrent qu'un bref instant, mais le jeune homme en ressentit un tel émoi qu'il attendit à l'écart que la tente se soit vidée avant d'aller se promener au clair de lune.

L'herbe était mouillée et une odeur de terre et de fleurs fanées embaumait les jardins. Tout le monde était rentré dormir et l'allée de papayers qui encerclait le vaste pré était déserte. Shambhala apprécia le silence de la nuit, il se rappela le parfum de Lalitâ, les inflexions de sa voix. Leur rupture datait déjà de trois mois mais il n'avait rien oublié de leurs étreintes passionnées. Ce bref contact dû au hasard avait enflammé ses sens. Soudain, Lalitâ fut devant lui. Elle l'attendait.

Elle vint si près qu'il prit peur et recula. La danseuse pencha timidement la tête sur son épaule. Shambhala allait s'éloigner quand il entendit le son sifflant que son amante émettait quand il la faisait jouir. Il ne bougea plus, sidéré.

La jeune femme fit deux pas vers lui, jusqu'à ce que sa chevelure effleurât l'épaule du jeune homme. Elle murmura dans un souffle qu'elle n'avait jamais connu plaisir aussi intense qu'en suçant la mangue de son *lingam* et qu'elle aimerait bien de nouveau grimper à l'arbre.

L'érection de Shambhala, sous le léger vêtement, la fit se pâmer d'aise. Elle colla son pubis contre le bas-ventre du garçon et, se frottant contre elle, Shambhala répandit sa semence en pleurant de volupté.

❑

Oubliant sa résolution d'échapper au pouvoir de la danseuse, Shambhala raccompagna Lalitâ dans ses appartements, évitant de justesse l'orage qui éclata au moment où ils franchissaient le seuil. Un énorme bouquet de tubéreuses se déployait dans un vase et leur fragrance capiteuse imprégnait la chambre. La jeune femme alluma une lampe à l'huile de castor suspendue au plafond et une lumière violette se répandit sur le lit recouvert de soie et surmonté d'un dais de voiles.

Après avoir enlevé ses bracelets et le lourd collier d'or qu'elle portait, Lalitâ déroula très soigneusement la soie blanche de son sari qu'elle plia et rangea sur un sofa. Vêtue seulement d'un long jupon de soie et d'une veste à manches courtes très ajustée qui lui serrait les seins, elle s'agenouilla devant l'autel domestique sur lequel trônait un *lingam* de marbre noir. Elle alluma un lampion, prépara un peu d'huile dont elle enduit la pierre lisse avec révérence. Elle déposa ensuite les pétales des fleurs qu'elle avait cueillies dans son petit jardin et se prosterna devant l'autel.

Shambhala la regardait. Quelle félicité que d'être de retour chez celle qui lui avait fait connaître de si grandes joies! Lalitâ dégrafa son corsage et libéra deux seins fermes et cuivrés gonflés par le désir. Les yeux noirs de la danseuse prirent un éclat lubrique: le diamant qui palpitait à sa narine droite et les arabesques de henné serpentant sur ses bras et dans la paume de ses mains ainsi que les fleurs de magnolia encore accrochées à sa lourde chevelure noire la faisaient ressembler à quelque déesse sauvage et primitive. Elle râla tout bas comme une tigresse en rut. Shambhala était fasciné.

Lalitâ fit glisser le jupon de soie, découvrant un ventre bien rond, des hanches larges, des fesses rebondies et de longues jambes superbement musclées. La couleur mordorée de la peau prenait des reflets mauves dans l'éclairage de la lampe et Shambhala ne put s'empêcher de laisser échapper un cri d'admiration:

— Comment ai-je pu oublier ton corps, Lalitâ?

Pour toute réponse, la danseuse se pencha sur une petite table basse, prenant soin d'exposer son sexe dont la large toison noire était fendue de lèvres rouges et épaisses. Avant que Shambhala n'ait eu le temps de réagir, la danseuse s'était adroitement relevée et mettait dans sa bouche un morceau de noix de bétel qu'elle fit passer dans celle du danseur en le saisissant par les cheveux pour lui renverser la tête. Elle glissa ensuite sa langue dans la bouche de Shambhala qui répondit au baiser avec beaucoup de ferveur et les deux amants s'embrassèrent très profondément, prolongeant le plaisir d'échanger leurs salives et de respirer leurs odeurs.

Lalitâ s'arracha enfin aux lèvres pressantes du jeune homme qu'elle sentait s'exciter et elle lui mordit savamment la nuque, imprimant ses dents dans la chair qu'elle suçait d'abord avec ardeur, la meurtrissant de bleus violacés. Entre deux caresses, elle soupira que cette morsure était appelée «le corail et le bijou» dans le *Kâmasûtra.*

Shambhala la prit sur ses genoux et lui effleura doucement les seins. La femme le supplia de les prendre dans sa bouche, ce qu'il fit de bonne grâce, léchant un mamelon tout en caressant l'autre entre ses doigts qu'il humectait dans sa bouche de temps à autre. La danseuse en chanta de délices. Shambhala glissa son autre main entre ses cuisses et caressa sa *yoni* mouillée jusqu'à ce qu'elle jouisse violemment. Elle posa la tête sur l'épaule du jeune homme qui, la croyant endormie, la souleva délicatement pour la déposer sur le lit. Elle ouvrit alors les yeux et dit:

— Tu es doué, Shambhala. Je serais ravie de t'apprendre les soixante-quatre sortes de jouissances enseignées dans le traité du plaisir charnel.

— Pourquoi m'avoir éconduit alors?

— Il ne te l'a pas dit?

— Qui? Quoi?

— Ton frère Ram.

— Ram?

— Il était venu me trouver au grand temple une nuit pour m'interdire de te revoir.

— Comment a-t-il osé? Quel pouvoir a-t-il sur toi?

— Ne te fâche pas. Ton frère Ram n'a aucun pouvoir sur moi.

— Mais alors?

— Il avait menacé de dépêcher un messager jusque dans l'île de Lanka pour avertir ton père de notre liaison et lui apprendre que tu dansais toujours même s'il te l'avait interdit.

— C'est injuste! C'est Ram lui-même qui t'avait emmenée à la maison pour que tu m'enseignes les figures dansées!

— Je sais. Il disait qu'il le regrettait. Je n'ai pas voulu te compromettre davantage afin que tu puisses profiter de l'absence de ton père pour poursuivre ton apprentissage du Bhârata-natyam.

— Crois-tu que j'arriverai à danser aussi bien que toi?

— Tu danses déjà beaucoup mieux que moi, Shambhala.

Le jeune homme se tut. Le compliment de la danseuse le touchait plus qu'il n'aurait voulu l'admettre. Shambhala savait qu'il dansait mieux que Lalitâ et il fut rempli d'aise à l'idée qu'une professionnelle du grand temple de Nataraj reconnaisse sa supériorité.

La rage submergea cependant cette bouffée d'orgueil et il fulmina contre son frère dont l'intervention l'avait si longtemps privé du corps infiniment désirable de la danseuse. Il voulut savoir la raison de leur réconciliation. Lalitâ avoua que c'est le hasard seul qui les avait mis en présence et qu'elle n'avait pas su résister au désir de connaître encore une fois l'extase dans ses bras:

— J'aime ton *lingam*, Shambhala, j'aime sa roideur et la douceur de sa peau, j'aime quand tu me donnes le coup du taureau dans la fente du bambou en me serrant la taille jusqu'à ce que je margaude comme une caille.

L'évocation de ses talents amoureux produisit l'effet escompté par Lalitâ. Éperdu de désir, Shambhala renversa la jeune femme et la pénétra avec fougue.

Le corps souple ondulait sous l'étreinte. Shambhala tenait fermement les cuisses de la danseuse, soulevant les jambes qu'elle noua sur les épaules de son amant en émettant de petits cris à peine audibles. Le jeune homme sentit qu'elle s'abandonnait déjà à l'orgasme, se livrant corps et âme à ses assauts et il gémit dans l'oreille de Lalitâ qui se cambra tandis qu'il se livrait à ce qu'elle avait appelé «la chasse au moineau», sa verge la perçant d'un mouvement de va-et-vient de plus en plus rapide jusqu'à ce qu'il éjacule dans un cri et qu'elle l'inonde de cyprine.

❑

La tête appuyée contre le sein de la danseuse, Shambhala observait les premiers rayons du soleil qui jouaient dans les palmiers visibles de la haute fenêtre de la chambre. De l'autre côté du temple, l'appel de la conque retentissait, invitant les pèlerins à la prière tandis que des effluves d'encens parvenaient jusqu'au jeune homme ensommeillé. Le sein chaud de Lalitâ se durcit sous ses lèvres et il posséda de nouveau la jeune femme, la prenant avec douceur, mordillant son cou et humant avec délice le parfum de sa lourde chevelure noire. Lalitâ cria son nom et Shambhala sentit brûler son désir. Il banda davantage et s'ingénia à la satisfaire. La danseuse répondait à merveille au moindre de ses mouvements, soupirant et criant, griffant son dos, pleurant dans son cou jusqu'à ce qu'ils jouissent dans un même éblouissement.

Ils dormirent un long moment, enlacés. Shambhala se réveilla tout à fait au roulement du tonnerre: une pluie diluvienne se mit à tomber. Se rappelant l'humiliation cuisante que lui avait fait subir son amante en refusant de le voir trois mois plus tôt, il ne put s'empêcher de la réveiller pour lui demander si elle était bien avec son maître de danse, cette fois-là, comme elle le lui avait fait dire. Lalitâ comprit tout de suite la jalousie de son jeune amant. Chandradas était un bel homme dans la quarantaine et si elle n'avait jamais caché à Shambhala la nature de leurs relations, elle ne lui avait cependant jamais révélé que son maître de danse était aussi celui qui l'avait initiée à l'art de l'amour. Elle remonta ses cheveux en chignon sur sa tête avec un peigne nacré, mouilla ses longs cils, se cala contre des coussins et annonça à Shambhala qu'elle allait lui raconter son apprentissage des plaisirs de la chair.

Shambhala en oublia sa jalousie. Il s'installa confortablement sur le lit, face à la belle jeune femme dont la peau nue et brune brillait de légères gouttes de sueur car la matinée était chaude et humide. Lalitâ se mit à raconter:

— Mon maître de danse, Chandradas, était natif de Tanjore. C'est dans cette ville qu'il avait autrefois fait la connaissance d'un sculpteur d'une grande renommée qu'un roi de la dynastie des Chandelâ avait invité à sa cour pour superviser la réalisation des frises d'un nouveau temple dont il avait entrepris la construction sur le site déjà réputé de Khajurâho.

J'avais treize ans quand Chandradas m'apprit que le temps était venu de m'initier à l'art de l'amour. Nous allions partir pour un long voyage qui nous mènerait jusqu'au royaume des Chandelâ, souverains de la lignée lunaire alors que notre maharadjah, comme tu le sais, est issu de la lignée solaire.

Nous chevauchâmes pendant plusieurs semaines en compagnie de trois serviteurs et de quatre autres petites danseuses. Dès notre arrivée à Khajurâho nous fûmes accueillis chez le sculpteur, un homme riche dont les épouses nous firent avec fierté les honneurs de leur vaste maison bien meublée.

Je fus la première des danseuses à être initiée par le maître. Pendant neuf jours, il partagea mon lit sans rien faire d'autre que m'embrasser, m'effleurer les seins et me masser doucement l'intérieur des cuisses. Le dixième jour, il me demanda de me coucher sur le dos, jambes repliées sur ma poitrine et, ayant enduit son *lingam* d'un onguent parfumé, il le tint dans sa main et baratta ma *yoni* jusqu'à ce que je me mette à roucouler comme une colombe. C'est seulement alors qu'il me pénétra, très doucement, puis sentant que j'acceptais volontiers les frottements de sanglier qu'il me prodiguait avec de plus en plus de vigueur, il tourna comme une toupie dans ma *yoni* en feu.

Des fontaines lumineuses jaillirent derrière mes paupières closes et j'entendis le fracas d'une cascade dans ma tête. C'est ainsi que je connus ma première extase. Chandradas retira son sexe du mien et je m'effrayai de constater que son *lingam* était couvert de sang. Il m'expliqua qu'il m'avait déflorée et que j'étais désormais une vraie femme.

Après m'avoir laissé deux mois de repos, au cours desquels il initia à leur tour les autres petites danseuses, mon maître de danse m'amena visiter le temple des *dâkinî* où sont représentées les soixante-quatre servantes de Kâlî et il en profita pour m'expliquer en détail chacune des soixante-quatre jouissances que j'avais à découvrir pour mon propre profit et pour celui des dévots du temple de Chidambaram auquel j'étais destinée.

Une des *dâkinî* était représentée les mains unies dans le geste mystique de la *yoni*. Mon maître me l'enseigna et je joignis les paumes de mes mains, pliai les annulaires l'un sur l'autre de même que les index, les petits doigts et les pouces, ne laissant que les majeurs dressés tout en arrondissant les paumes. De me voir reproduire ce *mudrâ* hautement suggestif enflamma Chandradas et il m'entraîna dans un temple où des travaux étaient en cours mais que les ouvriers avaient déserté pour le repas du midi.

Shiva y batifolait allégrement au plafond avec des nymphes célestes au triple déhanchement tout à fait charmant tandis que des monstres marins et des griffons combattaient avec férocité sur le linteau de la porte contre laquelle mon maître me pressa. Relevant mes jambes sur ses épaules, il m'enfila et entreprit de me décrire avec force halètements la fresque érotique qu'il avait sous les yeux et dans laquelle une femme suspendue par deux créatures ailées était pénétrée par un homme qui reposait sur la tête et caressait leurs seins de ses mains libres.

La description m'excita et je me mis à bondir sur le sexe furieux de mon amant qui accéléra le rythme du coït et me mordit violemment l'épaule. Je hurlai si fort que mon cri alerta le sculpteur qui travaillait dans le déambulatoire de l'autre côté du temple. Reconnaissant son ami Chandradas et voyant ce à quoi nous étions occupés, il se dirigea vers nous en défaisant son pagne. Il dénoua aussi son sous-vêtement et je vis alors jaillir du coton blanc un *lingam* prodigieusement long et épais, ourlé d'un prépuce bien renflé et d'un beau bleu violacé. Mon maître, pendant ce temps, poursuivait sa besogne tout en me griffant les reins et en poussant des hululements de chouette. Il me fit me pâmer de nouveau quand un long jet de sperme frappa le fond de ma matrice.

Apercevant alors son ami qui exhibait une aussi belle érection, Chandradas s'empressa de démonter et de céder sa place au sculpteur. Celui-ci me fit mettre à quatre pattes sur le sol et pratiqua sur moi l'union de la vache. Je reçus avec appréhension le membre viril démesuré mais l'homme l'introduisit avec lenteur, obéissant ainsi aux injonctions de mon maître qui se réjouit fort de me voir prendre un si grand plaisir au *lingam* de son ami qui me procurait, il est vrai, des sensations qui me faisaient ondoyer des hanches et soulever les fesses à la rencontre du pubis de l'homme qui criait des obscénités tout en galopant dans ma *yoni* contractée par l'orgasme.

Ce soir-là, notre hôte nous invita à un souper copieux, mon maître et moi. Nous soupâmes en compagnie du sculpteur et de deux de ses épouses. Ils étaient adeptes du rite tantrique de la main droite et bien qu'ils s'abstinssent de viande comme nous, ils buvaient cependant du vin. Je refusai d'abord d'en boire, invoquant la règle du temple de Chidambaram, mais mon maître m'y encouragea. Mes compagnes et moi serions initiées ce soir-là au yoga sexuel que pratiquaient nos hôtes et la chaleur du vin me permettrait de réparer mes forces. Il sourit en pensant à nos étreintes de l'après-midi et le sculpteur s'empressa de me verser à boire en riant de ma timidité.

Vers minuit, mes quatre compagnes, nos trois serviteurs ainsi que deux des ouvriers qui travaillaient aux frises du temple avec notre hôte vinrent se joindre à nous. Le prince héritier des Chandelâ et sa sœur jumelle arrivèrent les derniers. Je savais que les adeptes des rites tantriques doivent être libres de toute conscience de caste mais je me sentis très mal à l'aise de me trouver en train de manger et de boire avec nos serviteurs et les deux ouvriers dont l'un était brahmane mais l'autre intouchable, sans compter ma gêne de me trouver en présence des deux jeunes gens de sang royal.

La première épouse du sculpteur nous invita bientôt dans une chambre tendue de draperies noires. Au centre de la pièce dont le sol était recouvert d'un épais tapis de Turquie tissé d'un camaïeu de bleus, se dressait un *lingam* surmontant une *yoni* de grès. Nous nous assîmes tous les seize en cercle sur le tapis et nous répétâmes les mantras purificateurs qu'entonnaient le sculpteur, ses deux femmes et les ouvriers, tous familiers du rite auquel nous allions nous livrer. À tour de rôle, nous couvrîmes ensuite de pâte de santal rouge et de fleurs la *yoni* et le *lingam* de grès, rendant un culte à Shakti et à Shiva dont nous allions célébrer l'union cette nuit.

Nous pratiquâmes ensuite de nombreux exercices respiratoires et des visualisations. Enfin, vers quatre heures du matin, nous nous unirent les uns aux autres. Notre hôte s'était étendu sur le dos et m'avait attirée sur lui. Je m'enfonçai sur son sexe bien rigide et je me mis à tournoyer lentement. L'homme soulevait le milieu de son corps, créant ainsi un mouvement de balançoire qui me comblait. De ses belles mains de sculpteur, il massait les globes de mes petits seins dont les mamelons bruns durcissaient sous ses doigts.

L'homme avait des cheveux très épais, le visage lisse, des lèvres sensuelles que je me mis à embrasser rageusement tandis qu'il bougeait de plus en plus vite, me martelant de coups. Je griffais ses flancs, éperdue, la chevelure dénouée et flottante, le corps en nage.

La jouissance me surprit au beau milieu d'une vision ineffable. Ce n'était plus l'ami de mon maître de danse qui se cabrait sous moi: c'était Shiva lui-même qui me possédait avec une énergie cosmique tandis que je me désintégrais de plaisir sur le *lingam* du dieu dansant.

❑

Le récit de la danseuse avait ranimé le désir de Shambhala, qui glissa le long du corps de son amante et embrassa la *yoni* de la jeune femme, suça et mordilla, lécha le bouton de rose en haut de la fente, glissa la langue dans l'ouverture du vagin, souffla, serra les grandes lèvres entre ses doigts.

La jeune femme tira vers elle les belles jambes du danseur, l'incitant à se tourner vers elle tête-bêche. Elle lécha les testicules et le sexe, le parcourant dans toute sa longueur, baisa le gland avec énergie puis engloutit la verge en son entier.

Soudés dans l'union du corbeau, les deux amants s'abîmèrent dans une longue et lente étreinte tandis que l'après-midi s'étirait paresseusement et que les ombres s'allongeaient sur le parquet. Dans un angle de la chambre, le *lingam* de marbre noir brillait dans l'or du soleil couchant qui baignait la chambre. Le beau temps était revenu.

Toute la nuit, Lalitâ initia Shambhala aux mystères sacrés du *Kâmasûtra* et le jeune homme se prêta volontiers aux variations érotiques que son amante lui enseignait avec art comme elle lui avait enseigné les subtilités de la danse.

Ils connurent de grands moments de tendresse quand, épuisés par l'orgasme, le corps en sueur, ils s'assoupissaient, jambes et bras emmêlés, puis se réveillaient tremblants de bonheur, unis par le sentiment qu'ils se connaissaient depuis des siècles et que rien, désormais, ne pourrait les séparer l'un de l'autre.

❑

Quand Shambhala se réveilla, il se demanda où il se trouvait. La chambre de Lalitâ était plongée dans le noir et un parfait silence y régnait. Il constata avec un pincement au cœur que la danseuse ne dormait plus à son côté et il allait se lever quand elle revint, parée et parfumée, suivie d'une servante qui apportait un plateau chargé de raisins et d'amandes, d'un peu de riz cuit et d'un pichet d'eau fraîche.

Shambhala se lava et mangea avec appétit pendant que Lalitâ allumait la lampe à lueur violette et garnissait de fleurs fraîches le vase qui se trouvait à côté de son lit. Elle lui apprit qu'elle avait chargé le nain Ananda de dire à sa famille qu'il était chez son ami Sundara, prêtre au grand temple de Nataraj, afin qu'on ne s'inquiétât pas de son absence.

Se réjouissant du mensonge si bien trouvé, Shambhala s'étira langoureusement, prêt à la volupté, mais la jeune femme était nerveuse et semblait peu disposée à de nouveaux ébats.

Il se rhabilla, appréciant la fraîcheur du pagne que Lalitâ avait fait laver et sécher pendant qu'il dormait. La danseuse s'était assise sur le sofa et regardait son jeune amant qui achevait sa toilette. Celui-ci vint s'agenouiller à ses pieds et, pressant les mains de la danseuse dans les siennes, il lui demanda ce qui la préoccupait.

Elle hésita d'abord, puis, se décidant à parler, lui révéla que Chandradas avait mal réagi quand il avait appris que Shambhala se trouvait dans ses appartements. Non, il n'était pas jaloux comme le suggérait le jeune homme. Non, il était inquiet: le frère aîné de Shambhala lui avait fait, à lui aussi, des menaces et le maître de danse craignait que Ram ne révélât au guru la liaison de la danseuse sacrée avec un de ses plus jeunes disciples. Spandananda tolérait la prostitution au temple mais Chandradas voulait à tout prix éviter de contrarier le guru du maharadjah. Il avait donc ordonné à Lalitâ de renvoyer Shambhala dès cette nuit et de ne plus le revoir.

Furieux, Shambhala déclara que ce qui se passait entre eux ne regardait ni le maître de danse ni le guru. Lalitâ avait les larmes aux yeux. Elle balança la tête de gauche à droite, lui signifiant que ses protestations ne mèneraient à rien. Shambhala la prit dans ses bras et embrassa ses paupières. Elle se laissa aller contre son épaule en sanglotant, étreignant avec force les bras nus du danseur. Il la fit basculer sur le sofa et voulut remonter son sari sur ses cuisses mais elle l'en empêcha.

Elle se redressa, se moucha et raconta comment elle avait été offerte au temple par ses parents alors qu'elle n'avait que trois ans:

— Mon père était marchand de soie à Chidambaram et jouissait d'une réputation enviable dans sa caste de commerçants. Ma mère avait déjà six enfants quand je suis née et elle passait son temps alitée car elle était toujours souffrante, nous abandonnant aux servantes. Le fils de ma nourrice avait ton âge à l'époque. C'était un garçon adorable qui m'avait prise en affection et m'emmenait toujours avec lui faire les courses. Je lui étais très attachée. Je faisais la sieste avec lui et, un jour, il me montra à prendre son sexe dans ma bouche et à le sucer. Je trouvai du plaisir à lui plaire ainsi et nous recommençâmes souvent jusqu'au jour où un liquide blanc s'échappa de lui, me brûlant la gorge. Je criai d'épouvante. Mon demi-frère qui se trouvait alors à la maison vint voir ce qui se passait et voyant que le jeune serviteur avait abusé de moi, il le tua sous mes yeux d'un coup de poignard. Mes parents, horrifiés d'apprendre que leur fillette avait été souillée, m'offrirent au grand temple afin que j'y sois élevée dans le but de devenir une des nombreuses prostituées consacrées à Nataraj et à ses dévots. Chandradas m'a prise en charge dès ce moment et il m'a toujours protégée.

La jeune femme se tut un long moment. Puis elle ajouta:

—Je ne peux pas lui désobéir.

Shambhala recueillit la confidence en silence. Il comprit qu'il n'y avait rien à faire et qu'il lui fallait se résigner à être de nouveau rejeté par cette femme qui lui avait tout donné et qui lui enlevait tout. Il mit sa main sur la tête de la danseuse en signe de bénédiction et la quitta sans bruit. Il l'entendit fondre en larmes alors qu'il traversait la petite cour ornée de plantes grimpantes au fond de laquelle se trouvait son appartement. C'était le milieu de la nuit et le grand temple de Nataraj respirait la sérénité. Shambhala s'assit un moment dans les marches menant au bassin. Une pluie fine se mit à tomber. Il rentra chez lui.

❑

Assis au fond de la grande tente de méditation pour la récitation de l'hymne au guru, Shambhala cherchait son frère Ram des yeux. Il avait décidé de lui parler et de lui dire tout le mal qu'il pensait de son intervention auprès de Lalitâ et de son maître de danse. Il l'aperçut enfin, très grand, mince et droit, son long torse se balançant au rythme du chant. Le jeune danseur était furieux contre son frère aîné et il avait bien du mal à se concentrer sur la signification des versets chantés. Malgré l'humidité, il s'était enveloppé les épaules et le cou d'un châle de lin afin de dissimuler les bleus que lui avait laissés les morsures de son amante.

La reine avait pris place aux pieds de Spandananda, parmi les autres femmes, tandis que le souverain, humblement vêtu de coton blanc, s'était prosterné aux pieds du guru avant de s'installer sur un coussin, parmi les hommes.

À plusieurs reprises au cours de la prière, Shambhala tourna son regard vers la belle Yasmine, radieuse dans son sari de chiffon ivoire, pure et virginale. Il se rappela les merveilleuses histoires que la reine lui racontait et il eut envie de pleurer sur son enfance perdue. À la fin du chant, alors que toutes les têtes se penchaient et que, mains jointes sur la poitrine, les fidèles se livraient à une dernière salutation au guru, Shambhala observa Yasmine, abîmée dans la prière, et son beau visage rayonnant d'amour le toucha profondément. Il la voyait prier pour la première fois et il aima infiniment la reine ainsi, ses fines mains jointes, doigts écartés, front incliné.

Ram s'était éclipsé avant la fin de l'hymne au guru et ce n'est que plus tard dans la matinée que Shambhala apprit que son frère avait été invité à la fête donnée par le maharadjah pour célébrer l'anniversaire de sa femme alors que lui-même, cette année-là, n'y était pas convié. Shambhala en éprouva un pincement de jalousie. Son frère et la reine étaient devenus très proches depuis que Ram avait aidé celle-ci à tapisser de plumes de paon le tombeau d'Atmananda.

Ne se possédant plus de mauvaise humeur, Shambhala résolut de s'éloigner de Chidambaram et erra dans la campagne avec l'espoir de se calmer. Les fortes pluies des jours précédents avaient cédé la place au beau temps: le soleil radieux et les croassements des grenouilles dans les nombreuses mares d'eau eurent tôt fait de chasser ses idées noires. À l'horizon, des nuages annonçaient une ondée, mais Shambhala poussa sa promenade jusqu'à la colline d'où on pouvait contempler la vallée reverdie par le début de la mousson.

Il se dit qu'il avait bien mérité d'être écarté ainsi de l'intimité de la reine: sa liaison avec la prostituée du temple avait évidemment fait le tour du palais et son père ne tarderait pas à l'apprendre dès son retour. Alors qu'il rentrait à Chidambaram vers la fin de l'après-midi, il vit Yasmine et le maharadjah qui marchaient côte à côte dans le jardin de roses. La reine cueillait les plus belles fleurs, qu'elle coupait d'un geste sec avec une petite dague ouvragée: elle les tendait ensuite au maharadjah qui avait en main un large bouquet de roses jaunes, rouges et roses qui décorerait sans doute la table d'honneur.

Shambhala n'osa pas aller vers eux. Il répondit au sourire du maharadjah mais, n'osant pas regarder la reine et se désolant de se sentir aussi honteux des plaisirs qu'il avait connus avec Lalitâ, Shambhala poursuivit sa promenade. Il répétait le mantra pour calmer son esprit. Il se retourna et observa le couple royal à l'autre bout de l'allée.

Au milieu de sa désolation, quelque chose en lui exultait de les voir ainsi, lumineux dans leurs vêtements clairs sur fond de verdure. Shambhala avait beau se sentir loin d'eux, il avait, en même temps, une mystérieuse impression de déjà vu. La peur d'avoir perdu leur affection s'effaçait devant le plaisir de les rencontrer ainsi tous deux, bien vivants, après, qui sait, peut-être des siècles d'errance dans ce monde et dans les autres mondes.

Se sentant exclu de la fête, Shambhala se rendit au petit temple pour le chant du soir. Le guru chanta le mantra évoquant le Shiva de la joie, la déité invoquée par le nom que lui avait donné son père, et Shambhala en oublia complètement sa tristesse.

❑

Spandananda avait convoqué Shambhala à un *darshan* privé. Celui-ci s'y rendit, un peu inquiet, car c'était la première fois que le guru manifestait le désir de lui parler. Bhâktananda était venu le trouver dès l'aube, alors que le jeune homme revenait de son bain aux sources thermales, et lui avait transmis le message du guru. Celui-ci attendait Shambhala dans ses appartements.

Le jeune homme suivit donc le moine à travers les jardins baignés par les premières lueurs de l'aube. C'était le dernier jour du festival de Ganesh et les idoles d'argile croulaient sous les sucreries et les ornements qu'on avait offerts au dieu-éléphant pendant dix jours.

Shambhala songea qu'il était sans doute de bon augure d'être invité chez le guru en ce jour consacré au Seigneur qui enlève les obstacles. Il changea cependant d'avis dès qu'il franchit le seuil de la demeure de Spandananda. Celui-ci était assis dans la pénombre et ses yeux jetaient des lueurs de colère.

Saisi de frayeur, Shambhala s'immobilisa. Bhâktananda lui donna une légère poussée dans le dos pour qu'il dégage le passage et lui fit signe de s'avancer vers le maître. Reprenant ses esprits, Shambhala se prosterna devant Spandananda puis il s'assit à ses pieds, le cœur battant.

Il était terrifié. Il avait souvent vu le guru en colère mais, cette fois, c'était différent. Cette fois, le feu de Spandananda était dirigé contre lui; il le sentait dans tous ses membres. Il se mit à trembler, essaya tant bien que mal de se contrôler, mais son corps ne lui obéissait plus.

Le guru ne dit rien pendant très longtemps. Shambhala finit par cesser de trembler. Le moine, sur un signe de son maître, se retira, et le jeune homme resta seul en présence du guru dont émanait une férocité extraordinaire.

Ce moment de silence lourd de menace se prolongea au-delà d'une heure. Brûlé par l'anxiété, Shambhala fut bientôt complètement épuisé. Il était pâle et sans force quand Spandananda parla enfin. Le guru le fit approcher et lui dit:

— Tu dois renoncer à la danse.

Shambhala était si tendu, son soulagement fut si grand d'entendre la voix du guru, qu'il ne se rendit pas compte tout de suite du sens de ces paroles.

Peu à peu cependant, la signification de ces quelques mots lui apparut et, à l'état de stupeur atterrée dans lequel il se trouvait depuis son arrivée chez le guru, succéda un puissant sursaut de rébellion.

Un *non* d'une force terrible résonna dans tout son être et Shambhala, sans la moindre hésitation, se releva prestement et, sans même saluer Spandananda, se dirigea vers la sortie avant d'y avoir été invité.

Il traversa rapidement la cour intérieure et, franchissant les limites du palais, il marcha le long de la rivière pendant des heures, porté par sa rage.

Il s'était assis pour contempler le courant quand la procession des statues de Ganesh vint perturber sa méditation. Les familles avaient posé leur idole sur une planchette de bois et, s'arrêtant sur la berge, les hommes allumaient un petit feu et scandaient les mantras du dieu-éléphant. Les femmes distribuaient ensuite des sucreries aux mendiants et aux ascètes. Le chef de famille s'emparait alors de la planchette sur laquelle reposait le dieu et s'avançait dans la rivière, l'idole face tournée vers l'eau. L'homme se retournait à trois reprises vers l'assistance afin que les dévots puissent saluer Ganesh avant que le dieu ne soit englouti par l'eau de la rivière.

Shambhala vit des centaines de figurines d'argile disparaître dans les flots et il pria celui qui avait le pouvoir d'enlever les obstacles en les soulevant avec sa trompe pour dégager la voie.

Il pria malgré son désespoir: que pouvait son désir de danser contre l'interdiction de son père et le commandement du guru? Le jeune homme savait fort bien qu'il priait en vain et que, tôt ou tard, il lui faudrait se résigner à obéir. Il pria tout de même pour qu'un miracle advienne, pour entretenir la haute flamme de la révolte en lui, il pria pour que son amour de la danse reste intact malgré les obstacles, il pria pour que son karma soit racheté au plus vite et qu'il puisse être libre, libre de se mouvoir et de rendre un culte à Nataraj.

Il revint lentement vers Chidambaram, pénétra dans le grand temple, évita le quartier des danseuses et se rendit au sanctuaire où il se prosterna devant le roi de la danse au sourire de bronze.

Il contempla longtemps Nataraj, incapable de déchiffrer l'énigmatique visage sur lequel il aurait voulu lire quelque encouragement. Shiva dansait, imperturbable et serein, détaché des misères de ce monde, indifférent à la souffrance de Shambhala.

CHAPITRE VI

La colère te perdra

Shambhala ne retourna plus au *darshan* du guru. S'il lui arrivait de le croiser, il le saluait poliment, comme il l'aurait fait pour n'importe quel dignitaire de la cour. Jamais plus il n'irait se prosterner aux pieds de ce Spandananda qui s'arrogeait le droit de s'interposer entre le dieu dansant et son disciple.

Comme on le lui avait enseigné depuis toujours, Shambhala savait que le guru était une incarnation de Shiva. Le jeune homme, pourtant, s'éloigna de son maître, se réfugiant de plus en plus souvent dans le grand temple de Nataraj, s'adressant au Shiva sans forme de l'*âkâsha*. Sa supplique était poignante: elle jaillissait du gouffre de douleur dans lequel son guru l'avait plongé en lui donnant un ordre auquel il ne voulait pas obéir.

Il y eut un rituel du feu de sept jours dans le pavillon près de la rivière. Il s'agissait d'une cérémonie qui avait lieu à tous les trois mois: elle était présidée par un brahmane qui entretenait quotidiennement des feux sacrés dans sa propre demeure.

Le troisième jour avaient lieu les offrandes au dieu de l'océan. Les brahmanes s'étaient assis sur le bord de la rivière et psalmodiaient les *Veda* tout en préparant le rituel. Spandananda, flamboyant, avait pris place parmi eux et, debout sur la rive en compagnie des autres jeunes gens de la cour, Shambhala ne put s'empêcher d'admirer la force terrible du guru qui regardait couler la rivière, lion rouge placide et royal.

Le regard du danseur se perdit bientôt dans la moire de l'eau courante et son esprit se vida complètement de son contenu pendant quelques bienheureux instants. Quand il revint à lui, les brahmanes s'étaient levés et versaient des plateaux de fleurs dans la rivière.

Le soleil couchant brillait entre les arbres et les vêtements safran faisaient des taches vives dans la verdure. L'air embaumait le feu et une douce brise coula dans le cou de Shambhala. Il se dit qu'il vivait au paradis. Mais, apercevant le guru qui s'approchait des flots pour y jeter une guirlande de roses, il sentit sa gorge se nouer. Pourquoi Spandananda lui interdisait-il de danser? Pourquoi?

Les brahmanes prirent ensuite un bain, aspergeant généreusement l'assistance qui ne demandait pas mieux, car cette eau contenait désormais du feu et le fruit du feu était le bonheur parfait. Quand les jeunes gens furent ensuite invités à se baigner, Shambhala s'empressa de se joindre au groupe et s'immergea complètement dans l'eau sur laquelle flottaient encore des pétales de roses.

Il alla promptement revêtir un pagne sec et revint au pavillon pour la suite de la cérémonie. Il se retrouva assis de l'autre côté du feu, face au guru impassible qui trônait sur son fauteuil. Aux pieds de Spandananda, Yasmine et le maharadjah, les yeux tournés vers le feu, semblaient plongés dans une profonde méditation.

Le guru s'approcha du feu pour y verser du beurre clarifié: la flamme se gonfla et Shambhala aperçut Yasmine qui le regardait à travers le feu. Il ne sut que lire dans ce regard mais il sentit monter en lui une telle tristesse que ses yeux se remplirent de larmes. La fumée envahissait maintenant tout le pavillon. Shambhala essuya ses joues du revers de la main, espérant que la reine n'avait rien vu.

Le regard brouillé, Shambhala eut soudain l'impression qu'il rêvait: une épaisse substance blanche recouvrait peu à peu les brahmanes et seules les couleurs de feu de leurs vêtements perçaient encore dans ce nuage. N'était-ce que la fumée du rituel? Le guru disparaissait dans un halo de lumière bleue tandis que Yasmine et le maharadjah semblaient peu à peu s'évanouir derrière l'écran de fumée.

Shambhala eut un soubresaut et la scène reprit des contours plus définis, le nuage se dissipa, le halo flou pâlit et, redevenu lui-même, Shambhala offrit au feu ce qu'il ne pouvait plus offrir au guru qu'il reniait désormais: il offrit son cœur, il offrit sa vie, son amour impossible pour Lalitâ, sa sensualité, sa passion pour la danse et sa souffrance, toute sa souffrance.

❑

Kâma, le dieu de l'amour, vint tourmenter le maharadjah et il céda à la passion des sens dans les bras de la belle Yasmine. Le destin voulut que cette union fût bénie et c'est le cœur débordant de joie que la reine apprit à son époux, quelque temps plus tard, qu'elle portait un enfant.

Le maharadjah se rembrunit aussitôt, sachant que cette grossesse compromettait lourdement la santé de sa favorite, et il s'en voulut d'avoir différé son vœu de continence.

Yasmine était euphorique. Son désir d'enfant était enfin exaucé alors qu'elle s'était résignée à ne jamais donner de fils à son bien-aimé. Elle eut une grossesse heureuse, qu'elle passa à dorloter tous les bébés de la cour, pour apprendre, disait-elle, son nouveau rôle de mère.

Elle prit particulièrement en affection la petite Lîlâ, la dernière-née de Kundavai, la quatrième femme du maharadjah. C'était alors un bébé de huit mois, dodu et joufflu. Yasmine allait la chercher dans son berceau dès l'aube et passait la matinée dans les appartements de Kundavai qui avait toujours eu de la sympathie pour Yasmine et trouvait émouvante l'affection de celle-ci pour le bébé.

Lîlâ avait un charme fou. Elle riait volontiers en mettant ses pieds potelés dans sa bouche et en poussant des *a a a* de béatitude. Yasmine pouvait passer des heures avec la petite sans se lasser. Elle parcourait les jardins avec le bébé dans ses bras, lui susurrant des mots tendres.

C'était le festival de la déesse. Yasmine se rendait aux pieds de la statue avec le bébé endormi dans ses bras et, face à l'impressionnante masse de pierre polychrome érigée par Atmananda à son arrivée à la cour de Chidambaram, Yasmine frissonnait de plaisir. On lui avait expliqué que les brahmanes avaient insufflé une âme à la statue lors de l'inauguration et que c'était pour cette raison que la déesse paraissait vivante. Vêtue tous les soirs de ses plus beaux atours, robes roses ou vertes ou dorées, parée de perles et de pierres précieuses, montée sur un tigre blanc symbolisant les passions des sens maîtrisées, Durgâ baissait tendrement les yeux sur la princesse persane dont le ventre commençait à s'arrondir. Yasmine faisait alors le tour de la statue, acceptant les sucreries offertes par les brahmanes, et retournait s'asseoir dans la pénombre, sous les cocotiers noirs dans le ciel sans lune.

Les jeunes filles de la cour, en sari brodé d'argent, dansaient en l'honneur de Durgâ à la lueur des torches. Spandananda s'asseyait sur un banc de pierre dans un bosquet à l'écart et le maharadjah allait l'y rejoindre, s'installant par terre sur une natte de paille.

Yasmine préférait rester avec les femmes et les enfants et elle soupirait d'aise quand le bébé s'endormait sur ses genoux, son poing dans la bouche, bercée par les mantras invoquant la déesse qu'on vénérait neuf soirs d'affilée. Trois des soirées étaient consacrées à son aspect terrifiant de destructrice des démons, les trois suivantes à l'incarnation de la beauté et de la prospérité, et enfin, les trois dernières à la déesse du savoir, de la parole et de la musique.

La reine caressait la joue de la bambine, passait les doigts dans les fins cheveux bouclés, respirait son odeur délicieuse et chaude, en priant la déesse mère de lui accorder un bel enfant.

Le jour, elle allait dans le quartier des brahmanes et, assise parmi leurs femmes, elle polissait les bijoux de Durgâ. La petite Lîlâ, à ses pieds, jouait avec un lapin blanc duveteux qui bondissait entre les balles de coton et la garde-robe géante de la déesse.

Yasmine était comblée. Le maharadjah se rendait dans les appartements de sa première épouse tous les soirs et, posant chastement l'oreille sur le ventre à peine proéminent de la reine, il cherchait à percevoir les premières rumeurs de la vie de cet enfant qu'elle voulait avec une passion qui l'inquiétait.

Le souverain prenait alors sa femme dans ses bras et lui murmurait des paroles d'apaisement. Il lui parlait, parfois toute la nuit, des différents aspects de la déesse et Yasmine l'écoutait avec avidité car il s'exprimait avec éloquence, d'une voix douce et bien timbrée.

Le maharadjah évoquait l'étoile du matin, celle qui dévorait la nuit, car c'est seulement en dévorant la nuit que le jour pouvait apparaître. Il répétait, sans grand espoir de voir l'enthousiasme de sa femme s'assagir, qu'elle devait se reposer et attendre cet enfant dans la sérénité.

Yasmine, au contraire, se consumait. Elle vibrait d'une énergie inépuisable, filait toute la journée pour le futur poupon, lui préparait des langes. Elle ne vivait plus que pour ce bébé dont elle avait tant rêvé et qui s'était enfin niché dans son ventre.

Hélas, comme le maharadjah l'avait pressenti, cet état de surexcitation ne lui valut rien de bon. Yasmine dut s'aliter dès le cinquième mois de sa grossesse. Apeurée, elle s'efforça de maintenir son esprit totalement absorbé par la prière, se disant que ce qui devait arriver arriverait, qu'elle s'abandonnait totalement à la volonté d'Allah.

Or, il était écrit que Yasmine n'enfanterait pas. Elle perdit le fœtus et mourut au bout de son sang.

Le maharadjah en fut inconsolable.

❑

Shambhala pleura quand il apprit la mort de Yasmine. Il suivit le cortège funèbre dirigé par Bhâktananda en sanglotant sans vergogne. Le cadavre de la reine avait été enveloppé dans un suaire rouge qu'on avait couvert de fleurs et des porteurs de la plus basse caste transportèrent la civière jusqu'au bûcher dressé au bord de l'eau.

Le maharadjah mit lui-même le feu au bûcher. Les flammes jaillirent et embrasèrent le corps de la reine. Une odeur pestilentielle de chair brûlée et de chevelure roussie monta bientôt dans l'air de plus en plus lourd. On avait cru la mousson terminée mais le ciel se chargea soudain de nuages de pluie. Le maharadjah fit trois fois le tour du bûcher, suivi de ses autres épouses ainsi que de ses ministres et courtisans tandis que Spandananda récitait les versets sacrés.

Râjendra présida le cortège de retour au palais. Shambhala le suivait de près, hoquetant, incapable de se maîtriser. Lakshman essayait vainement de le consoler tandis que Bhârata le suppliait de se taire. Ram, tout à sa douleur, ne s'occupait pas de leur benjamin. Bhâvanî, plus haut dans le cortège, s'inquiétait du manque de retenue de son jeune fils tandis que Bhâktananda qui, en sa qualité d'aîné, fermait cette fois la marche, observait son élève en proie à une crise nerveuse qui lui faisait craindre une rechute. Il se mit à pleuvoir à torrents mais personne n'accéléra le pas, et le cortège longea lentement la rivière jusqu'au pavillon derrière le palais.

Le maharadjah vécut son deuil dans l'isolement, ne vaquant qu'aux affaires les plus urgentes, déléguant le reste, et il ne se montra à aucune fête pendant les mois qui suivirent la mort de sa femme.

❑

Shambhala assista à contrecœur aux célébrations de la Dîwâlî au cours desquelles on célébrait l'illumination d'Ayodhyâ pour le retour de Râma après qu'il eût vaincu le roi des démons. Les habitants de la cité légendaire avaient, disait-on, nettoyé la ville de fond en comble et allumé des lampes à l'huile pour accueillir leur roi de retour d'exil. Chacun portait des vêtements neufs et se tenait sur le seuil de sa demeure, brillante de propreté.

C'était là une façon de symboliser la victoire de la lumière sur les ténèbres mais Shambhala eut bien du mal à se prêter au rituel de cette fête qui d'habitude l'enchantait. Il avait le cœur si lourd qu'il lui fut pénible de mettre de l'ordre dans ses affaires comme il était de tradition au cours du festival. Il détruisit tous les Nataraj de bronze qu'il avait sculptés et les jeta aux ordures. Il se débarrassa de ses vieux vêtements qu'il distribua aux serviteurs et commanda un nouveau costume: une jupe à plis en soie blanche qu'il porterait sur un pantalon assorti d'une jaquette de même tissu.

Les forces obscures semblaient vouloir l'emporter dans son âme mais il se rendit tout de même à une cérémonie qui devait avoir lieu dans le pré derrière le palais au moment du coucher du soleil.

Les brahmanes préparèrent les offrandes, des serviteurs enturbannés emmenèrent les vaches royales et un veau de dix jours qu'on avait confiné à l'étable depuis sa naissance, tel que le stipulaient les textes sacrés. Le guru jeta des guirlandes d'hibiscus autour du cou des bêtes, leur mit du vermillon et du curcuma sur le chanfrein, les recouvrit de saris de soie rouge brodés d'or et leur noua des châles orange à l'encolure.

Les vaches mangèrent ensuite placidement les gâteaux de semoule que les brahmanes leur offrirent et la foule se massa autour des bêtes. Le champ baignait dans la lumière brune du crépuscule. Chacun alluma alors une mèche sur son plateau et le balança devant les vaches sacrées en hommage à la déesse.

Le lendemain matin, Shambhala retourna voir les bêtes qu'on avait laissées sur le pré. Il courut embrasser le veau qui gambadait dans l'herbe tandis que sa mère broutait tranquillement. L'air était pur, le soleil chaud. À genoux dans l'herbe haute, les bras jetés autour du cou du veau, Shambhala regarda la belle vache qui se dirigea vers lui et, tournant ses yeux de velours vers le danseur, sembla lui dire qu'elle comprenait sa peine.

Shambhala éclata en sanglots, le nez dans le pelage du petit animal qui frétillait et ne demandait qu'à courir. Shambhala le retenait de toutes ses forces, secoué par ses larmes, incapable de contenir davantage sa douleur.

Le veau se libéra de l'emprise du jeune homme et s'enfuit en trottinant. Shambhala se recroquevilla dans l'herbe. Curieuse, la vache approcha son museau humide.

— Est-ce bien toi, la vache-à-réaliser-les-souhaits? demanda Shambhala, tout à coup consolé. Est-ce bien toi qui, née de l'océan de nectar, as le pouvoir d'assouvir tous les désirs? Eh bien, je veux, je veux, je veux...

Shambhala s'arrêta: il voulait mourir. Il prit peur et s'éloigna en courant, cherchant à dissiper sa mélancolie.

❑

C'est dans l'espoir de réconcilier le jeune homme avec son guru que Bhâktananda insista pour que le patron des prêtres du temple prenne Shambhala comme assistant pour la cérémonie à Nataraj qui avait lieu au grand temple. Ce jour-là, chacun célébrait la déesse de la prospérité dans sa forme quotidienne. Pour les prêtres du grand temple de Chidambaram, dédié au dieu de la danse, le rituel avait pour but d'honorer les donations des pèlerins qui leur permettaient de poursuivre leur culte séculaire.

Shambhala n'étant pas prêtre, le patron refusa d'abord d'accéder à la requête du précepteur. Bhâktananda insista, faisant valoir que son pupille avait une grande dévotion à Nataraj. Comme Shambhala était le fils du ministre du maharadjah et le maharadjah principal mécène du temple, le prêtre, après avoir consulté ses pairs, accepta de déroger à leur règle et invita Shambhala à participer à l'accomplissement du rite.

Le jeune homme fut très surpris de la proposition que lui fit le patron des prêtres du grand temple.

Ignorant que Bhâktananda avait tout machiné, il ne sut à quelle grâce incroyable il devait cet honneur qui le flatta et le terrifia en même temps. Qu'arriverait-il si Spandananda assistait à la cérémonie comme cela était fort possible?

L'humilierait-il devant toute l'assemblée des fidèles, le fustigeant pour sa désobéissance, le déclarant indigne de réaliser une offrande au Seigneur de la Danse?

Malgré ses craintes, Shambhala accepta pourtant l'invitation, le désir de sacrifier à Nataraj en cette rare occasion l'emportant sur sa peur du guru. On lui fit revêtir le pagne de mousseline de coton des prêtres du temple et le patron, un grand homme sec aux gestes nerveux et au tempérament autoritaire, prit Shambhala sous son aile, lui enseignant à mesure l'ordre des offrandes et les gestes mystiques qui devaient les accompagner.

Shambhala se donna à son rôle d'officiant avec une concentration totale et le prêtre, malgré ses réprimandes à mi-voix quand le jeune homme faisait une erreur, ne put s'empêcher d'admirer la piété du garçon qui, mains jointes sur sa poitrine, répétait après lui les mantras védiques transmis de père en fils par les prêtres qui avaient ainsi gardé vivante, au cours des siècles, la flamme de la dévotion au Seigneur Shiva.

Shambhala était assis sur une natte de paille dans le sanctuaire, devant l'idole de bronze. Assis à sa droite, le patron lui tendait les récipients d'argent contenant les offrandes de miel et de lait. L'homme prenait une poignée de jasmin, la plongeait dans le curcuma, la trempait dans l'eau sur laquelle flottaient des graines de sésame et montrait à son acolyte comment jeter la poignée de minuscules pétales aux pieds de Nataraj.

Le danseur versait le lait entre le pouce et l'index de sa main droite. Sa respiration était ample et lente:

il était ému d'avoir ainsi l'occasion de vénérer le dieu auquel il avait voué sa vie.

Dans la Salle de la Danse, au-delà des hautes portes d'argent du sanctuaire qu'on avait fermées car seuls une poignée de fidèles choisis avaient le privilège d'assister au rituel, résonnaient les mantras à Râma et à Krishna. Un chant en l'honneur de la Dîwâlî avait en effet été commencé quelques jours plus tôt: on vénérait aussi bien Vishnu et ses avatars que Shiva dans le temple de Nataraj car les empereurs Chola avaient toujours été tolérants.

Au moment où Shambhala prit les pièces d'or que lui tendit le prêtre pour les ajouter aux offrandes de fleurs, de miel et de lait, la voix grave et riche de Spandananda retentit tout à coup à travers les portes d'argent. Shambhala frissonna malgré lui. Râma devenait une présence vivante dans la voix du guru, Krishna, l'irrésistible, devenait manifeste. Bercée par les mantras, la petite assemblée resta pourtant attentive au rite védique qui se poursuivit à l'intérieur du sanctuaire contre lequel venait frapper la belle voix de Spandananda.

Quand vint le moment de chanter la salutation au guru, Shambhala chanta de tout son être. Mais, pour lui, le guru n'avait plus de forme physique. Le guru, son seul guru, c'était Shiva.

La cérémonie s'acheva au moment où les prêtres et les fidèles se rendirent en procession devant la porte sud du temple, chacun offrant une flamme au Seigneur de la Mort, afin de bénéficier d'une mort heureuse.

La nuit suivante, les fidèles prirent un bain d'eau de source, se lavant ainsi de tous les péchés commis au cours de l'année qui venait de s'écouler. Shambhala se rendit jusqu'à la maison des bains située à quelque distance de la ville. La nuit était exceptionnellement froide et son regard se perdit longuement dans le ciel criblé d'étoiles. Shambhala s'aspergea de musc et pénétra dans le bassin vêtu de son pagne. L'eau chaude l'enveloppa voluptueusement et le jeune homme s'immergea dans le silence de l'eau, offrant tous ses péchés à l'onde purificatrice. Il sortit du bain joyeux et étonnamment reposé.

Après s'être séché et vêtu, Shambhala jeta un châle sur ses épaules et revint tranquillement vers Chidambaram. Le chant se poursuivait dans le grand temple. Il s'assit dans un angle obscur de la Salle de la Danse et, s'absorbant dans sa méditation, il réfléchit à ce que serait sa résolution pour cette nouvelle année qu'on inaugurait bientôt.

Il sentit alors la pression stupéfiante de l'implacable interdit paternel et du commandement du guru. Son désir de danser était irrésistible. Il ne capitulerait pas. Il se le promit.

❑

Le lendemain matin eut lieu une cérémonie aux ancêtres. Shambhala arriva alors que la foule était rassemblée autour d'un îlot d'arbres où les brahmanes s'étaient installés. Le soleil était déjà haut et la rosée s'élevait en brouillard au-dessus du pré. Shambhala s'avança pieds nus dans cet océan d'herbe. Le ciel était splendide, le vent doux, les oiseaux chantaient. Tout était parfait, depuis les hymnes du *Sâma-Veda* jusqu'à la délicatesse des libellules qui voletaient autour de lui.

Au moment où il versa les offrandes d'eau et de graines de sésame dans la terre en l'honneur des disparus, le cœur de Shambhala se serra. Yasmine n'était plus de ce monde. La conteuse était morte et, avec elle, toute la magie des histoires merveilleuses qu'il avait tant aimées.

Cet après-midi-là, Shambhala alla jouer avec Lîlâ, comme il le faisait souvent depuis la mort de la reine. Le bébé commençait à marcher et le jeune homme ne se lassait pas de tenir ses petites mains pendant qu'elle avançait l'un après l'autre, maladroitement, ses pieds aux chevilles ornées de grelots d'argent, infatigable et rieuse. Shambhala serrait la petite contre son cœur en pensant à Yasmine, comme si l'enfant avait en quelque sorte conservé quelque chose du monde fabuleux auquel donnait accès l'imagination de la reine.

Kundavai devina le chagrin qui se cachait derrière la tendresse soudaine du fils du ministre pour sa dernière-née. De la même façon qu'elle avait laissé Yasmine s'emparer de son bébé, la quatrième femme du maharadjah admit Shambhala dans ses appartements. Il était encore assez jeune pour qu'on le laisse circuler dans le quartier des femmes, mais la reine, qui avait eu vent des rumeurs concernant la conduite licencieuse du danseur, écartait ses filles aînées chaque fois que celui-ci lui rendait visite.

Gopî l'accompagnait souvent, s'amusant avec sa demi-sœur, inventant de nouveaux jeux. Kundavai, une grande femme tout en rondeurs, gavait Shambhala et la fillette de sucreries pendant que la petite Lîlâ prenait le sein, les regardant avec des yeux ronds, se délectant du lait maternel.

❑

Shambhala se rendait au tombeau d'Atmananda pour méditer. Il traversa la cour intérieure encore plongée dans l'obscurité autour de laquelle brûlaient les multiples lampes au camphre allumées en l'honneur de la Dîwâlî. C'est seulement alors qu'il se rappela que son père avait l'habitude de l'emmener au sommet de la colline pour voir se lever le soleil en ce jour de fête de la lumière.

Il eut un instant la nostalgie des jours heureux où son père et lui étaient encore complices et il décida de respecter cette coutume qu'il avait toujours goûtée.

Il se rendit donc seul sur la colline, dans l'obscurité, trouvant tant bien que mal son chemin sur le sentier malgré l'absence de lune.

Il attendit le lever du soleil. La vallée était plongée dans une nuit noire et paisible. De temps à autre, un chien aboyait dans le lointain. Une éternité s'écoula avant que le ciel se colore enfin d'un peu de rose au levant. Il pensa à la noirceur de son âme, au malheur qui hantait sa vie.

Shambhala pria. Il ne pouvait plus prier le guru parce qu'il lui avait retiré son allégeance. Il pria Shiva, il pria ce soleil qui ne voulait pas se lever mais qui se lèverait, il le savait, il le faudrait bien.

Pourtant, voyant qu'après d'interminables minutes le soleil ne se levait toujours pas, Shambhala eut un doute. Un doute irrationnel, un doute qui l'amusa presque quand il constata, incrédule, qu'il était sur le point de désespérer de voir le soleil se lever. Comme si cet astre, dans le seul but de le contrarier, allait désobéir à son *dharma*, comme s'il se pouvait qu'un jour, sur cette terre, dans cet univers, ce jour-là justement, le soleil ne se levât pas!

Shambhala rit même tout haut de cette pensée absurde mais il ne put s'empêcher de remarquer qu'il était sans doute aussi absurde de croire que sa souffrance n'aurait jamais de fin, que Shiva jamais ne le libérerait de ses tourments.

Au moment où le jeune homme allait sombrer dans les plus noires pensées, le soleil, ô miracle divin, ô miracle éternel, montra son épaule de cuivre à l'horizon et, secouant toute cette crasse de nuages et d'angoisse, émergea triomphant, orange, ronde fournaise de feu, disque royal qui flotta bientôt, rouge, au-dessus de la vallée traversée de brumes bleutées.

❑

La mousson éclata de nouveau. Du jour au lendemain, le ciel se chargea de lourds nuages puis des torrents de pluie se déversèrent sur le royaume. L'air rafraîchit, les pelouses et les arbres tournèrent au vert sombre, la campagne reprit vie et une persistante odeur de végétaux en décomposition flotta dans Chidambaram.

Bhâktananda avait bien du mal à capter l'attention de son élève. Miné par le deuil de Yasmine, Shambhala n'avait plus aucun intérêt pour l'étude du traité sur l'art de gouverner et même son enthousiasme pour le sanscrit s'était émoussé.

Il arrivait pour sa leçon quotidienne, trempé jusqu'aux os, la petite Lîlâ à l'abri dans le châle dont il l'avait enveloppée. Gopî, les cheveux mouillés, le pantalon de soie dégoulinant de pluie et de boue, les suivait de près avec le singe apprivoisé que lui avait offert son père.

Le précepteur devait passer une partie de la leçon à sécher tout ce petit monde, à leur procurer des vêtements secs, une boisson chaude et de menus objets pour occuper les petites filles pendant qu'il déployait des trésors d'énergie pour intéresser Shambhala aux arcanes de la vie politique de l'empire Chola.

Shambhala aimait Bhâktananda et il se désolait de voir le vieil homme se donner autant de peine pour lui inculquer les rudiments du *dharma* des dirigeants. Shambhala savait que jamais il ne suivrait les traces de son père. Il danserait. Quitte à s'exiler du royaume et à aller pratiquer son art ailleurs, il danserait!

Achyûta n'avait pu revenir de Lanka avant la seconde mousson comme prévu: il avait dépêché un messager pour expliquer que son retour était reporté de plusieurs semaines car la mer, démontée par des pluies particulièrement abondantes, rendait le voyage difficile.

Les précipitations étaient telles qu'il n'était plus question de danser dans la cour ni sur la plate-forme près de la rivière. Celle-ci sortait déjà de son lit, inondant une partie des terres du maharadjah.

Shambhala poussa l'audace jusqu'à danser dans la maison du ministre. Bhâvanî ferma les yeux sur cette nouvelle extravagance de son fils: elle le savait déjà éprouvé par un profond conflit intérieur et ne voulut pas l'accabler.

Shambhala se retirait dans sa chambre et là, avec ses quatre frères qui se relayaient pour scander les syllabes sacrées du Bhârata-natyam, le jeune homme racontait avec tout son corps l'histoire de Nataraj qui, de son pas cosmique, faisait danser le monde.

L'après-midi, il allait, pieds nus dans la boue, contempler la vallée du sommet de la colline. La rivière s'étalait comme un lac, recouvrant les rizières et les champs, scintillant à travers les pluies d'éléphant qui s'abattaient lourdement, les pluies de cheval qui accouraient au galop pour repartir au trot, les pluies de souris, brèves et inattendues, et les pluies de paon, fines et irisées. Dans le gris charbonneux du ciel, il lui arrivait de voir se dessiner un arc-en-ciel au-dessus du mont dont on disait qu'il avait servi de piste d'atterrissage au chariot céleste de Râma lors de son voyage de retour vers Ayodhyâ.

❑

Un jour, la mousson s'apaisa et les brahmanes profitèrent de ce répit pour rassembler les fidèles sur la colline et procéder à un rite en hommage à la terre. C'était peu de temps après le lever du jour: le brahmane bénit une après l'autre les huit directions alors que les membres de l'assistance se tournaient tous ensemble et inclinaient la tête, mains jointes sur le front en signe de respect. On bénit d'abord l'est, demeure de la divinité du ciel, puis le sud-est, demeure du Seigneur du Feu. On bénit le sud, là où résidait le Seigneur de la Mort, puis le sud-ouest, demeure du dieu cruel qui permettait d'apprécier le bien en faisant faire l'expérience du mal. L'assemblée se tourna ensuite vers l'ouest, demeure du dieu des eaux et de l'océan, puis vers le nord-ouest, demeure du dieu du vent. Ce fut ensuite le nord, demeure du dieu de la prospérité et enfin, le nord-est, demeure de Shiva. Le brahmane demanda alors qu'on répète cinq fois le grand mantra à cinq syllabes pour saluer Shiva dans cette direction.

On salua le ciel où se trouvait le créateur et la terre qui soutenait ses créatures fidèlement, jour après jour. Au moment de se prosterner front contre terre, Shambhala fut submergé par une vague d'émotion. Il aimait tellement danser, s'envoler, échapper à la pesanteur, qu'il avait tendance à oublier la terre. Il s'inclina humblement, se promettant de respecter davantage la terre, ses limites, mais aussi son essentielle grandeur.

Shambhala accepta avec grâce les fleurs bénies que lui tendait Bhâktananda, il les serra contre lui et les déposa autour de la statuette du dieu dansant qui contemplait la vallée sur laquelle s'abattit brusquement une forte pluie assortie d'éclairs qui dispersa rapidement la foule.

❑

Les pluies s'espacèrent peu à peu, si bien que Shambhala recommença à exécuter ses danses sur la plate-forme près de la rivière. Son frère Lakshman battait le tambour tandis que le danseur passait d'une séquence de danse mimée à un enchaînement de mouvements coordonnés des jambes et des bras, les mains flottant dans l'air comme des oiseaux, les yeux tournés vers le haut puis vers les côtés comme il convenait dans la manière de ce morceau qui exprimait la joie suprême et l'extase.

Shambhala glissait ensuite dans une section plus lente de danse pure, son corps épousant parfaitement le rythme, se mouvant avec grâce, plein d'énergie, connecté au sol et cependant léger comme une plume, se coulant dans d'épaisses vagues bleues tourbillonnant dans l'espace.

Le maharadjah et son guru s'engagèrent dans l'allée de gardénias, de l'autre côté de la rivière, fort étroite à cet endroit. Voyant que Shambhala dansait, Râjarâja fit signe d'apporter des sièges; le souverain et son maître s'assirent pour voir le jeune danseur pratiquer son art. Shambhala se surpassa, s'arrachant à la pesanteur dans un bond à couper le souffle.

Le maharadjah était vêtu de soie blanche et portait un turban incrusté de perles et de diamants car il se rendait à un souper donné en l'honneur d'un prince en visite. Il était assis très droit, tranquille, et regardait Shambhala, songeant à la réaction de son ministre s'il venait à apprendre que son fils lui avait désobéi pendant son absence.

Le jeune monarque, amaigri par son deuil récent et le profond chagrin que lui causait encore la disparition de sa femme, oublia bientôt son ministre et fut séduit par la virtuosité du danseur qui frappait le sol, ses chevilles délicates ornées de clochettes rythmant son pas. Shambhala ployait le torse, tournait la tête, respirait profondément. Il s'agenouillait, sautait, bougeait les doigts et les yeux avec une agilité extraordinaire, tournait ses fins poignets. Tout son corps vibrait. On aurait dit un jeune daim, fragile et craintif. Le maharadjah fut ému par le danseur en transe.

Le guru ne cilla pas une seule fois, absorbant la danse, buvant la dévotion. Il était assis dans l'ombre, vêtu d'un pagne orange et d'une jaquette de soie rouge, le chef recouvert d'une calotte ronde, son teint virant au bleu dans la nuit tombante.

Le soleil se couchait derrière les portes du palais et cette berge de la rivière était déjà si sombre que Shambhala pouvait à peine deviner l'expression sur le visage du guru.

Puis, du coin de l'œil, il aperçut une troisième personne qui regardait la scène. Un homme grand, à la peau claire, aux cheveux blancs. Son père! Son père était de retour! Déjà? Il ne devait pourtant pas rentrer de Lanka avant la fin des pluies.

Le cœur de Shambhala se serra. Mais il continua à danser la danse de Shiva. Il dansa, de toute son âme, avec tout son amour. Le guru se leva et disparut derrière les portes du pavillon, suivi de près par Râjarâja qui se tourna vers le danseur avant de pénétrer dans l'enceinte. Son visage attrapa un rayon de soleil couchant et, dans son regard, Shambhala put lire l'infinie compassion du maharadjah.

Il continua à danser. Son père se tenait toujours sur l'autre berge, près des deux sièges maintenant vides. Achyûta prit son bâton de voyageur dans la main droite, traversa la rivière en prenant appui sur les quelques roches qui affleuraient à la surface de l'eau noire et monta sur la plate-forme de bois. Il abattit son bâton et frappa furieusement les jambes du danseur.

Sans un cri, Shambhala s'effondra sur la scène, les os brisés, l'esprit à l'agonie.

CHAPITRE VII

Shiva le destructeur

Le soleil se coucha sans que Shambhala ait repris conscience. Quand il revint à lui, la nuit était complètement tombée. Il gémit. Son corps était extrêmement douloureux et il eut beau essayer de se traîner au bas de la plate-forme, ses jambes fracassées ne le lui permirent pas. Il resta donc vautré sous le ciel étoilé tandis que la rivière murmurait à quelques pas. Il aurait voulu s'y noyer.

Il eut beau appeler au secours à maintes reprises, personne ne vint. Il cria, il rugit, personne ne vint. La Voie lactée s'étirait dans le ciel, se perdant dans des profondeurs vertigineuses. Jamais Shambhala n'avait regardé le firmament aussi longtemps. Il s'était retourné sur le dos, ce qui l'avait soulagé un moment, et il n'arrivait plus à changer de position. Les étoiles scintillaient. Il reconnut la planète du guru qui brillait aux confins du ciel et sentit les rayonnements cosmiques que l'astre émettait. Une comète fila dans l'étendue obscure mais Shambhala ne sut quel vœu formuler. Que pouvait-il donc souhaiter, désormais? Il allait sans doute mourir. Que ce soit au plus vite. Que ce soit le plus vite possible.

Ses jambes lui faisaient si mal qu'il en avait la nausée. Il ferma les yeux dans l'espoir de trouver le sommeil mais le sommeil ne vint pas. Il contempla de nouveau le ciel. Il revit la haine flamber dans les yeux de son père; il sentit son cœur se contracter violemment et, sombrant dans les ténèbres, il perdit conscience.

Quand il revint à lui, le perroquet du maharadjah se tenait perché sur la branche d'un banian et répétait: *Om* d'une voix stridente. Le jour se levait. Shambhala observa l'oiseau. Il remarqua chaque détail: l'œil, le bec, le cou, les plumes orange de la queue. Son esprit était vide. Il regardait l'oiseau. Ses jambes lui faisaient terriblement mal mais cette douleur le concernait à peine. Il écoutait le perroquet, il le regardait, fasciné. L'oiseau se dandinait sur ses pattes et, pendant un bref instant, Shambhala crut que le perroquet parodiait sa danse. Mais la pensée s'évanouit aussi vite qu'elle était apparue et le blessé s'absorba de nouveau dans sa contemplation. Le soleil levant faisait briller le plumage émeraude et l'oiseau continuait à répéter *Om* sans se lasser.

Le sang noir de la terreur se mit à couler dans ses veines et Shambhala souffrit de se savoir en proie à ce poison violent. Il gémit: il lui sembla qu'un flot sombre de sons inarticulés s'écoula de sa bouche. Il prolongea sa plainte dans l'espoir de se vider de sa peur mais elle s'enfla et se répandit dans tout son corps.

Le perroquet le fixait de son œil rond et mobile. Shambhala lui cria, de toutes ses forces:

— Pourquoi?

Des nuages s'amoncelaient dans le ciel au-dessus de la plate-forme. Soudain, au milieu des neiges célestes apparut le mont Kailas. Des forêts de conifères couvraient un de ses flancs et des cascades bouillonnantes dévalaient du sommet. Dans une prairie ondoyante de fleurs mauves, des nymphes dansaient en se poursuivant.

Assis à même le roc, Shiva, dans sa posture d'ascète, méditait, les yeux clos, le troisième œil ouvert sur l'invisible. Espiègle, la Shakti s'approcha de son divin époux et, par jeu, recouvrit de ses mains l'œil sacré.

Dans son délire, Shambhala comprit que Lalitâ tenait le rôle de la Shakti. Le diamant dans sa narine brillait à travers les nuages tandis qu'elle balançait des hanches et se penchait avec grâce pour masquer le troisième œil de Shiva.

Oubliant son malheur, Shambhala sentit naître le désir et convoita la belle Shakti.

Aussitôt, le trident de Shiva lui perça le cœur.

Il comprit alors que sa souffrance lui était infligée par le dieu afin qu'il renonce à son aveuglement. Il n'avait plus qu'à se transformer en digne serviteur du guru comme l'était devenu le démon de la légende, né de la colère de Shiva.

L'Himâlaya s'effilochait dans le ciel de Chidambaram pendant que Shambhala se rebellait contre son destin.

Un bruit dans les buissons près de la rivière attira son attention. Il leva péniblement la tête et aperçut, venant vers lui, son frère Lakshman, les yeux bouffis, la chevelure plaquée sur son visage inondé de larmes.

Il se jeta par terre sur la plate-forme à côté de Shambhala et sanglota un long moment. Il s'était enfui dans le bois, horrifié, quand il avait vu leur père traverser la rivière en brandissant son bâton de voyageur. Il avoua, et ses pleurs redoublèrent, qu'il avait craint que la colère paternelle ne s'abatte aussi sur lui et qu'il avait lâchement abandonné son tambour, laissant Shambhala seul à marteler le silence de ses coups de talons.

Ce n'était qu'après avoir longtemps couru qu'il avait réalisé sa couardise, mais il s'était perdu et avait mis toute la nuit à retrouver son chemin.

Ayant fini de débiter ses explications, Lakshman regarda enfin son frère. Celui-ci était livide et il n'y avait plus aucune flamme dans son regard: il avait un regard de glace. Lakshman voulut le prendre dans ses bras mais Shambhala cria de n'en rien faire. C'est alors seulement que Lakshman vit les jambes du danseur. Elles étaient brisées en plusieurs endroits et gisaient comme des branches mortes.

La jambe droite semblait complètement disloquée, le mollet se trouvant à un angle improbable par rapport à la cuisse. Énervé, sans trop se rendre compte de ce qu'il faisait, Lakshman prit la jambe brisée dans ses mains et tenta de la remettre en place. Shambhala hurla. L'os avait déchiré la chair et Lakshman avait les mains en sang.

Voyant son frère inconscient, Lakshman, pris de panique, courut à perdre haleine jusqu'au palais où il alerta ses frères. Ram ne saisit pas grand-chose à ce qu'il racontait mais, devinant la gravité de la situation, il envoya Shatrughna chez le maharadjah et s'empressa de se rendre lui-même sur la plate-forme près de la rivière.

Non, il ne savait pas que leur père était revenu. Lakshman était-il bien sûr de ce qu'il disait? Non, personne n'avait vu Achyûta. Lakshman répéta ce qui s'était passé et Ram, incrédule, écouta encore une fois l'horrible histoire.

Ce n'est que lorsqu'il vit Shambhala étendu, immobile, dans les rayons du soleil levant, que Ram comprit l'ampleur du désastre. L'aîné resta penché un moment sur le danseur évanoui, le cœur brisé. Achyûta avait fait en sorte que son fils ne danse plus jamais.

S'assurant que son frère respirait encore, Ram chargea Lakshman d'aller chercher du secours et un brancard pour transporter la victime. Le médecin accourait justement, dépêché par le maharadjah qui, dès qu'il avait aperçu Shatrughna à une heure aussi matinale, avait compris qu'un malheur avait dû arriver au danseur.

Le médecin resta silencieux quand il vit l'état des jambes du jeune homme. Il ordonna d'une voix sèche qu'on aille chercher des baguettes de bois à l'atelier de menuiserie pour maintenir en place les jambes fracturées.

Bhârata arriva sur ces entrefaites, encore tout ensommeillé, ne sachant pas très bien ce qui se passait. Quand il comprit ce qui était arrivé, le deuxième fils d'Achyûta fut saisi de rage et jura à haute voix qu'il vengerait son frère. Ram tenta en vain de l'apaiser et réussit tout juste à l'empêcher de retourner à la maison. L'aîné cherchait à retarder le moment où la mère de Shambhala apprendrait le drame.

Bhâvanî ne tarda cependant pas à arriver, inquiète, mue par un pressentiment. Elle s'écroula sur la poitrine de son fils inconscient, submergée de larmes. Malgré sa détresse, cependant, pas un instant Bhâvanî ne sembla éprouver de colère envers celui qui avait causé un tel malheur. Ram ne put s'empêcher d'admirer la dévotion conjugale de la plus jeune épouse de son père. Celui-ci avait massacré leur enfant adoré mais Bhâvanî ne songeait pas à se retourner contre lui et se résignait à pleurer sur le sort de son fils.

Le médecin supplia Ram d'éloigner Bhâvanî et s'affaira longtemps à laver la plaie béante de la jambe droite puis à y appliquer des onguents. Il enfila ensuite du fil spécial sur une alène et entreprit de recoudre les chairs. Puis, avec mille précautions, il fixa chacune des jambes entre des éclisses et ficela celles-ci autour des membres blessés dans l'espoir qu'avec le temps, les os se ressouderaient. Mais les fractures étaient si nombreuses que le médecin confirma ce dont Ram avait eu l'intuition: non, Shambhala ne retrouverait sans doute jamais l'usage de ses jambes.

On hissa le jeune homme toujours inconscient sur le brancard et ses frères le transportèrent jusqu'à la demeure paternelle alors que le soleil était à son zénith. Le perroquet du maharadjah les accompagna en voletant de branche en branche et se percha sur l'arbre qui se dressait devant le fenêtre de la chambre de Shambhala qu'on laissa tremblant de fièvre en compagnie de Lakshman qui lui tenait la main et pleurait.

❑

Lakshman refusa de quitter Shambhala ne serait-ce qu'un instant. Il dédaigna toute nourriture, se contentant de boire les laits d'amande que Bhâvanî lui préparait, et il veilla son frère jour et nuit, pendant huit jours, incapable de se pardonner de ne pas s'être interposé entre leur père et lui.

Personne ne savait où se trouvait Achyûta. Un serviteur raconta l'avoir vu longer la rivière, l'air hagard. Le roi fit enquêter, inquiet de savoir son ministre en proie à un terrible remords et contraint de cacher sa honte. Les espions qu'il dépêcha dans le royaume et dans les royaumes avoisinants ne purent retrouver la trace du vieil homme qui semblait s'être volatilisé du village où il avait été vu la dernière fois, le dos courbé et le regard tourné vers le sol, ce qui avait étonné de la part de ce haut dignitaire qu'on n'avait pas vu depuis longtemps et qui semblait soudain accablé par l'âge.

Achyûta n'avait adressé la parole à personne, poursuivant son chemin bien que la nuit fût déjà tombée. On crut qu'il se rendait aux sources chaudes et l'employé des bains raconta qu'il avait vu l'homme, en effet, mais que celui-ci ne s'était même pas arrêté pour lui rendre ses salutations.

À la cour, personne n'osait mentionner le nom du ministre. Bien qu'un père eût tous les droits sur son fils et que tout le monde admît que Shambhala était dans son tort puisqu'il avait systématiquement ignoré le commandement paternel, la férocité d'Achyûta sembla excessive à tous. Le ministre avait en effet battu son fils si cruellement que celui-ci était suspendu entre la vie et la mort. Le médecin avait définitivement conclu que si, par miracle, il en réchappait, Shambhala ne pourrait cependant plus jamais marcher.

Les fractures avaient été nombreuses, l'infection des plaies, virulente: il était probable que la douleur chronique qui en résulterait rendrait son existence bien difficile. Shambhala était aux prises avec une forte fièvre. Il passait du chaud au froid, claquait des dents puis transpirait à grosses gouttes. Lakshman l'épongeait, lui apportait des couvertures, le faisait boire. Shambhala avait repris conscience mais il ne reconnaissait personne et ne comprenait pas ce qu'on lui disait. Bhâvanî essayait de donner un peu de potage à son fils pour tenter de le maintenir en vie mais Shambhala était incapable d'absorber quoi que ce soit. Il ouvrait par moments les yeux mais son regard était vitreux. Il était d'une maigreur à faire peur et on finit par croire qu'il ne survivrait pas.

Seul l'aîné, Ram, ne désespéra pas du sort de son frère. Il passa des heures en sa compagnie et, tandis que Lakshman, sombre et déprimé, somnolait, roulé en boule sur le tapis, Ram parlait du riz qui poussait en abondance, du soleil qui était déjà très chaud, du perroquet du maharadjah qui ne quittait plus son poste sur l'arbre et répétait: *Om* à longueur de journée.

— *Om*, disait à son tour Ram. *Om* peut te sauver, Shambhala. Répète: *Om* et tu vas guérir. Répète: *Om*.

Mais Shambhala, les yeux clos, respirant à peine, semblait perdu dans un autre monde.

Finalement, Ram alla trouver le guru, le priant de venir bénir son frère. Celui-ci accéda à sa requête et se rendit au chevet du mourant. Il posa la main sur le cœur de Shambhala, très légèrement et, quand il la retira, Ram vit que des larmes coulaient sur les joues de Spandananda.

Ram crut que son frère était mort mais le guru le rassura. Non, Shambhala allait vivre. Cette nuit-là, dans son délire, Shambhala sentit qu'on le transportait dans un dédale de caves humides et profondes habitées par des esprits qui surgissaient, grimaçants, au-dessus de lui. Il répétait le mantra, impatient d'échapper au terrible sort qui l'attendait.

Il réussit finalement à sortir de son corps brisé qu'on transportait toujours, s'enfonçant de plus en plus profondément dans des tunnels sans fin. Il s'éloigna des grottes et, marchant dans l'herbe qui lui arrivait aux genoux, il se retrouva bientôt dans le pavillon. C'était la nuit mais il y avait encore quelques disciples ici et là, assis sur le sol de marbre.

Il se demanda si c'était le moment du *darshan* mais il constata que le fauteuil du guru était vide. Par contre, tandis qu'il traversait le pavillon, il vit que Spandananda était assis dans l'herbe haute. Il était seul et ne donnait probablement pas de *darshan* mais l'urgence de la situation était telle que Shambhala, s'approchant bravement, alla respectueusement se prosterner devant Spandananda et lui expliqua que son corps était brisé et qu'on l'emmenait vers les profondeurs de la terre, qu'il fallait absolument que le guru intervienne avant qu'il soit trop tard.

Spandananda était penché vers lui et l'écoutait. Quand Shambhala eut fini de parler, le guru répondit:

— Tu as traversé le mur, n'est-ce pas?

Interloqué, Shambhala se demanda si cela voulait dire que l'affaire était réglée. Comme il n'en était pas sûr, il resta auprès de Spandananda qui se leva alors et se rendit sur la rive d'un lac, dans lequel il jeta des roses, l'une après l'autre, très lentement.

Le guru s'approcha alors d'une femme que Shambhala ne reconnut pas tout de suite. Ils parlaient dans une langue qu'il ne comprenait pas et des derviches tourneurs en robe longue virevoltaient tout autour d'eux.

Le jeune homme reconnut Yasmine puis il comprit que le guru avait déjà répondu à sa question et que le reste ne le concernait pas. Il décida de retourner à la recherche de son corps mais c'est alors qu'il se réveilla.

Dès qu'il revint à lui, la douleur l'assaillit. Il gémit. Lakshman sursauta et, s'approchant de son frère, vit que la fièvre était tombée et que celui-ci, pour la première fois depuis la tragédie, le reconnaissait.

Lakshman ne se tenait plus de joie. Il prit la tête de Shambhala dans ses mains et l'embrassa sur le front avec douceur en répétant son nom. Sur la branche de l'arbre, imperturbable, le perroquet répétait: *Om.*

❑

Shambhala prit du mieux. Il accepta quelque nourriture et but volontiers les infusions que lui préparait le médecin. Bien qu'elle fût désormais convaincue que son fils survivrait, Bhâvanî se désola de constater qu'il ne reprenait pas vraiment goût à la vie.

Pas une fois le jeune homme ne mentionna la colère de son père. Il ne demanda pas de nouvelles du vieil homme, pas plus qu'il ne s'étonna de l'absence prolongée de celui-ci.

Les quatres frères se relayaient auprès du malade, essayant de le distraire un peu. Celui-ci leur souriait tristement, riait parfois de leurs facéties puis retournait à sa mélancolie. Pas un d'entre eux n'osa sortir son tambour et la maison du ministre qui avait toujours retenti du son de leurs instruments resta désormais silencieuse. Hormis le perroquet qui, inlassablement, répétait son mantra, rien ne venait briser la monotonie des jours. Le maharadjah, désespérant de ramener l'oiseau à ses appartements, en fit don à Shambhala qui remercia poliment le souverain sans manifester le moindre intérêt pour le perroquet.

Un matin, Bhârata décida qu'il était temps que Shambhala sorte prendre l'air. Malgré les protestations de celui-ci, Bhârata, qui était grand et fort, s'empara du jeune homme chétif et, appelant deux serviteurs pour qu'ils soutiennent les jambes toujours emprisonnées dans leurs étaux de bois, transporta Shambhala sur la terrasse et l'installa sur des coussins. Shambhala pleura toute la matinée mais Bhârata ne se laissa pas émouvoir par ce qu'il considérait comme de la complaisance.

Bhâvanî, revenant de son service au guru, découvrit ce qui s'était passé: elle se mit en colère contre Bhârata et décida sur-le-champ que celui-ci n'aurait plus la garde de son frère puisqu'il n'avait même pas assez de compassion pour le laisser à l'abri dans sa chambre.

Bhârata allait protester quand Spandananda apparut inopinément, vêtu de jaune vif, à l'autre extrémité de la cour intérieure et, levant très haut la canne d'acajou sur laquelle il s'appuyait pour marcher, déclara que cela était bien, que cela était très bien.

Il s'approcha de Bhâvanî et de son beau-fils et, les ignorant complètement, se pencha vers Shambhala qui sanglotait toujours. Il lui donna un léger coup de canne sur chaque jambe en disant:

— Ton frère a raison, petit. Il faut maintenant cesser de pleurer et remercier le ciel de t'avoir laissé la vie. Regarde. Regarde le bel oiseau!

Instantanément, Shambhala se tut. Il s'essuya les yeux, se moucha et, étirant le cou pour voir l'oiseau, il sentit une joie indéfinissable monter en lui: le perroquet lissait ses plumes émeraude en roucoulant: *Om*, le soleil jouait dans les feuilles de l'arbre et des taches de lumière dansaient sur le marbre rose de la cour intérieure. Comme le monde était beau, comme la vie était belle!

Shambhala se tourna alors vers Spandananda et lui sourit. Spandananda lui tapota gentiment la tête puis retraversa la cour intérieure, balançant vigoureusement le bras gauche tandis que du droit il s'appuyait sur sa canne car il claudiquait légèrement depuis quelque temps.

Bhâvanî et Bhârata en restèrent muets de stupéfaction. Shambhala, quant à lui, regardait de nouveau le bel oiseau et il entendait une voix pleine d'amour qui répétait:

— *Om, Om, Om.*

Ce devait être la voix de Shiva mais il crut, un instant, que c'était celle de son père.

❑

De jour en jour, l'état de Shambhala s'améliorait. Il mangeait peu mais s'alimentait suffisamment pour retrouver ses forces. Son humeur était meilleure bien qu'il sombrât encore de temps à autre dans une noire dépression. Ses jambes le faisaient beaucoup souffrir, l'infection s'étant aggravée. Les os s'étaient ressoudés mais le médecin avait prescrit qu'on laisse les jambes encore quelque temps immobiles entre leurs supports pour éviter de nouvelles complications.

La vie de Shambhala était donc limitée à sa chambre et à la terrasse donnant sur la cour intérieure. Ses frères s'empressaient auprès de lui mais Shambhala n'avait pas toujours envie de parler. Il goûtait particulièrement la compagnie de Lakshman. Celui-ci s'asseyait par terre à côté de lui et, sans éprouver le besoin de faire la conversation, il regardait passer le temps. Les deux frères observaient les jeux du soleil entre les branches des arbres de la cour intérieure, écoutant le perroquet qui répétait sans cesse le mantra universel, infatigable.

On rentrait habituellement Shambhala dans sa chambre à la tombée du jour car c'était maintenant l'hiver et il commençait à faire froid dès le coucher du soleil. Un soir, cependant, le convalescent demanda qu'on lui apportât son repas sur la terrasse.

Bhâvanî s'en chargea volontiers. Quand elle revint avec son plateau de riz, de potage aux lentilles et de galettes de blé, elle constata que son fils s'était hissé sur le large rebord de la terrasse et regardait la lune qui était pleine. Shambhala tourna vers elle ses yeux noirs et lui dit très doucement:

— Mère, vois comme la lune est belle.

Bhâvanî s'approcha et, prenant son fils par les épaules, elle regarda, elle aussi, la lune. Ils restèrent ainsi un moment à contempler le ciel, graves et silencieux. Bhâvanî déposa un baiser sur la tempe du jeune homme et, devinant qu'il n'avait pas envie de rentrer, elle lui apporta des couvertures et l'installa confortablement sur le rebord de la terrasse.

Shambhala, reconnaissant, lui prit la main un moment, la posa sur ses yeux et sur sa poitrine puis en embrassa la paume. Sa mère, trop émue pour dire quoi que ce soit, rentra précipitamment dans la maison.

Resté seul, Shambhala respira les parfums de la nuit. Une odeur d'ambre flottait depuis le passage de Bhâktananda avec son encensoir et les gardénias embaumaient. Les criquets s'en donnaient à cœur joie et, de temps à autre, une chauve-souris volait entre deux arbres, ses ailes noires brillant un bref instant dans le clair-obscur.

La soirée était déjà fort avancée quand Shambhala sentit une présence à l'autre bout de la terrasse. Une forme humaine se dessinait dans la pénombre. Shambhala frissonna. Son cœur se mit à battre à tout rompre. L'homme ne bougea pas, bien qu'il eût sans doute compris que le jeune homme avait senti sa présence.

Tous ses sens en alerte, Shambhala cessa de respirer, terrifié. L'homme allait s'en retourner quand un cri jaillit de la poitrine du garçon:

— Père, père, ne t'en va pas!

L'homme se tourna et vit Shambhala qui pleurait, les bras tendus dans sa direction en répétant:

— Père, père!

Il s'avança vers le milieu de la terrasse baignée par la lumière de la lune et Shambhala comprit qu'il avait été l'objet d'une illusion. Ce n'était pas Achyûta. Comment avait-il pu confondre la silhouette du guru avec celle de son père dont la haute taille était exceptionnelle? De dépit, Shambhala laissa retomber les bras, perdant ainsi l'équilibre.

Spandananda, heureusement, l'attrapa et, serrant le jeune homme tremblant dans ses bras, il lui dit:

— C'est bien, mon petit. C'est très bien. Tout ce qui arrive est pour le mieux. Ton père t'a aidé à payer un karma. Tu lui en seras un jour reconnaissant.

Shambhala était trop bouleversé pour comprendre quoi que ce soit. Sans insister, Spandananda se contenta de le bercer en chantonnant en tamil. Le danseur finit par s'endormir, brisé par l'émotion. Le guru le transporta alors sur son lit, le borda avec une sollicitude toute paternelle et s'éloigna sur la pointe des pieds sans réveiller qui que ce soit dans la maison du ministre.

❑

Plusieurs mois passèrent. Une rumeur courut dans le palais selon laquelle Achyûta aurait été aperçu sur un haut plateau du Tibet par un groupe de pèlerins se rendant au mont Kailas, demeure de Shiva. L'un d'eux, qui était originaire de Lanka, l'avait connu alors que le ministre était en poste dans l'île et, heureux de retrouver une connaissance dans une région aussi inaccessible, il avait tenté de convaincre le voyageur solitaire de se joindre à leur petit groupe. Achyûta, à peine reconnaissable sous sa broussaille de cheveux blancs, s'était contenté de lui jeter un mauvais regard avant de s'éloigner rapidement dans la direction opposée.

On prit soin que la rumeur ne parvienne aux oreilles de Bhârata, qui, toujours aussi furieux, parlait encore de venger Shambhala. Quand la saison chaude arriva, Shambhala fut enfin débarrassé des éclisses qui protégeaient ses jambes. Il fit quelques tentatives pour marcher, aidé par ses frères qui manifestèrent une grande patience car le jeune homme était d'une humeur fort déplaisante. La douleur était déchirante et ses jambes amaigries et disloquées refusaient de lui obéir. Shambhala finit par se résigner à se traîner sur les genoux, déplaçant péniblement des jambes qui ne lui étaient plus d'aucune utilité.

Il était pitoyable à voir et ses frères, qui s'étaient pourtant montrés pleins de compassion pendant sa convalescence, se mirent à éprouver de la répugnance pour l'infirme qu'il était devenu.

Sensible à ce rejet tacite, Shambhala, qui avait toujours été plutôt secret, se ferma complètement. Il refusa de rester à la maison comme on tenta de l'en persuader et il allait comme bon lui semblait, à travers le palais et les jardins. Ses bras et ses poignets se musclèrent rapidement, si bien qu'il en vint à se déplacer avec une étonnante agilité. Il se rendit même un jour jusqu'à la plate-forme près de la rivière et, se traînant péniblement jusqu'à son centre, il médita de longues heures.

Il était d'un calme surprenant. La violence de son père lui revint comme un mauvais rêve mais il n'éprouva aucune colère, rien. Il sentit seulement qu'il respirait mal et que des ténèbres l'enveloppaient de toutes parts. Il n'avait aucune peur: c'était plutôt comme s'il était sur le point de s'endormir et qu'il n'arrivait plus à mettre ses pensées bout à bout.

Au milieu de son engourdissement, une vision d'une suprême clarté surgit cependant. Il vit son père courbé sous le poids d'une douleur incommensurable. Le vieil homme marchait pieds nus dans la neige. Le soleil l'éblouissait et il plissait les yeux.

Quelqu'un vociférait. Shambhala revint à lui et reconnut en celui qui criait le serviteur qui avait apporté les sièges demandés par le maharadjah lors de sa dernière danse.

L'homme s'approcha de la plate-forme, hurlant des insultes: Shambhala mit un certain temps à comprendre qu'elles lui étaient adressées. Il eut le réflexe de se lever pour aller à la rencontre de cet imbécile qui osait injurier ainsi le fils du ministre quand le mal affreux que ce mouvement déclencha lui rappela la réalité. Il était, effectivement, un cul-terreux, comme le hurlait le serviteur en colère qui venait de laver la plate-forme et comptait l'en chasser.

Rendu à sa hauteur, le serviteur finit par reconnaître Shambhala. Il rebroussa chemin aussitôt, espérant que l'invalide lui épargnerait la bastonnade qu'il s'était attirée en proférant des imprécations à l'endroit d'un brahmane.

❑

Shambhala finit par ravaler son orgueil et se rendit au *darshan* du guru. Il avait revêtu ses plus beaux habits mais n'arrivait pas à se mouvoir sans ramasser toute la poussière et c'est les genoux fort sales qu'il se présenta devant Spandananda et lui tendit une fleur de lotus qu'il avait eu tout le mal du monde à ne pas endommager en se traînant jusqu'à lui. Le guru accepta gracieusement le lotus qu'il prit lui-même des mains de Shambhala, le humant un moment avant de le remettre à la petite Gopî qui le déposa dans un panier.

Shambhala se prosterna du mieux qu'il le put et eut beaucoup de difficulté à se relever. Quand il fut de nouveau sur les genoux, Spandananda se pencha vers lui et, lui faisant signe de s'approcher, lui passa un collier d'or autour du cou.

Le jeune homme fut incapable de prononcer le moindre remerciement. Il s'éloigna jusqu'au mur, contre lequel il s'appuya, et il resta ainsi, à l'ombre d'un manguier, les yeux clos, débordant de reconnaissance.

C'est en lui offrant un collier d'or qu'on honorait la danseuse sacrée qui avait terminé son apprentissage du Bhârata-natyam. Que voulait lui signifier le guru en lui faisant un tel cadeau? Shambhala se posait la question parce qu'il n'osait croire ce qu'il devinait pourtant: il avait atteint le sommet de son art et méritait cette récompense suprême. La joie qu'il en éprouva fut de bien courte durée: à quoi bon être passé maître dans l'art de la danse si c'était pour ramper comme une limace le reste de ses jours?

Spandananda suivait le cours de ses pensées et, le voyant s'assombrir, il envoya Gopî lui porter la douceur aux pistaches recouverte d'une fine feuille d'argent que le guru offrait ce jour-là aux enfants. Shambhala accepta la friandise de bonne grâce et il comprit qu'il était redevenu l'enfant du guru. Maintenant qu'il circulait à genoux, il était désormais un des leurs.

À partir de ce jour-là, le jeune homme revint quotidiennement au *darshan*. Il s'asseyait sur le tapis aux pieds de Spandananda avec les petits, pliant sous lui ses longues jambes douloureuses. À le voir, installé ainsi, on oubliait qu'il était estropié et le maharadjah, assis auprès du guru, observait Shambhala, se demandant par quelle aberration son ministre avait pu gâcher ainsi la vie de son fils.

Il finit par s'en ouvrir à Spandananda au cours d'un *darshan* privé que celui-ci voulut bien lui accorder. Le guru comprit que la question du souverain était sincère et qu'elle prenait sa source dans une compassion réelle pour le sort de Shambhala.

Sachant que son disciple lisait fort bien les annales akashiques, le guru lui demanda s'il n'avait pas été tenté d'aller vérifier les antécédents karmiques de Shambhala et de son père. Le maharadjah répondit qu'il avait renoncé à déchiffrer l'*âkâsha* depuis plus d'un an et que, dès qu'il avait formulé le désir de ce sacrifice, son don avait disparu.

Le guru se montra fort content de cela et ajouta qu'il était heureux de voir que le sacrifice était si bien accepté par l'esprit que, même à la demande du guru, le pouvoir surnaturel refusait de se manifester.

Le maharadjah comprit alors qu'il venait de subir une épreuve et que si, par malheur, il avait voulu plaire au guru en exhibant son don, il aurait en un instant perdu tout le mérite de son sacrifice.

Sa question demeurait sans réponse. Il osa la réitérer. Spandananda regarda le maharadjah droit dans les yeux. Un long silence suivit. Finalement, Spandananda dit ceci:

— Un dessein plus grand que le visible est à l'œuvre ici. Tout ce qui arrive est pour le mieux. Dans sa danse cosmique, Shiva ne commet jamais de faux pas. Un jour, Shambhala comprendra pourquoi cela était nécessaire.

Spandananda cessa de parler. Un profond silence s'établit. Le maharadjah pensa au dessein plus grand qui régit les vies dans ce monde et dans les autres mondes, il songea à Yasmine que le plan divin avait prévu lui enlever alors qu'il lui était encore si attaché et son esprit se perdit dans des considérations sans fin sur le destin.

❑

Un jour, alors que Spandananda allait rentrer dans ses appartements après le *darshan*, il fit venir Shambhala. Celui-ci, s'appuyant sur ses mains, se propulsa vivement jusqu'au fauteuil du guru. Spandananda se tourna alors vers lui et lui dit, tout bas:

— Ce soir, tu viendras chanter le *Rudram*.

On chantait désormais le *Rudram* juste avant la prière du soir, dans le tombeau d'Atmananda. Shambhala en avait abandonné la pratique depuis la construction de la plate-forme près de la rivière car c'était là l'heure idéale pour danser, le feu du soleil s'étant apaisé.

Ce soir-là, Shambhala se rendit au *Rudram*. Spandananda y assistait. Il fit signe au jeune homme de s'approcher et celui-ci s'installa sur un large coussin juste à côté du maharadjah qui lui adressa un sourire de bienvenue.

Après quelques mantras d'introduction, l'assemblée entonna cet hymne au Seigneur des Larmes et Shambhala retrouva avec grand plaisir les syllabes sacrées qu'il connaissait depuis la petite enfance.

Il vit le dieu terrible dans chacun des sons; la poitrine en feu, il récita avec ferveur jusqu'au mantra final, appelant la paix sur son pauvre corps malade et sur son esprit agité.

Après le chant, Spandananda resta assis. Personne ne bougea. Il faisait noir depuis un bon moment mais les prêtres qui devaient préparer l'offrande n'osaient pas encore allumer les mèches de peur de briser ce moment magique de communion profonde entre le guru et ses disciples. La respiration calmée par le rythme du chant, l'esprit clair, rafraîchi, lavé par les syllabes purificatrices, chacun goûtait ce moment de silence.

Spandananda déplia enfin ses jambes et, les déposant par terre pour laisser la circulation se rétablir, il échangea quelques mots avec la petite Gopî qui assistait au *Rudram* chaque soir.

Puis, d'un geste de la main, il invita Shambhala à le suivre dans ses appartements. Celui-ci grimpa péniblement les trois marches conduisant à la maison du guru; Bhâktananda aida l'infirme et celui-ci se retrouva bientôt assis dans la chambre du maître.

Spandananda lui demanda s'il connaissait le sens du *Rudram*. Shambhala avoua que sa signification l'avait toujours intrigué et que, s'il savait que l'hymne chantait les louanges de Rudra, l'aspect destructeur de Shiva, il n'avait pas une idée bien claire de ce que les mantras signifiaient. Le guru lui dit qu'il était temps de l'instruire à ce sujet et, longtemps après que les cloches de la prière du soir eurent fini de retentir, Spandananda traduisit le chant.

Shambhala, médusé, écoutait avec une attention entière. Il comprit que le *Rudram* célébrait le Divin dans toutes les formes de la Création, bénéfiques et maléfiques, créatrices et destructrices. Spandananda, d'une voix parfaitement régulière et sans passion, scandait le texte original du *Rudram* et sa traduction en tamil. Shambhala en avait le sang glacé. Il savait que Shiva était partout, dans le voleur et dans le tueur aussi, mais il n'avait jamais vraiment saisi cette dimension de l'universalité du dieu. Il comprenait pourquoi Spandananda avait tenu à l'initier à la signification du texte sacré.

Le guru traduisait maintenant la partie du chant au cours de laquelle le récitant réclame des centaines et des centaines de choses dont «une armure pour protéger son corps, ses membres, os et articulations». Shambhala sentit les larmes lui monter aux yeux: le guru voulait qu'il pardonne à son père. Il lui apprenait le sens des mystérieuses paroles incantatoires du *Rudram* pour que Shambhala réussisse à voir Shiva le destructeur brandissant le bâton de voyageur de son père.

Curieusement, au lieu d'éprouver la compassion qu'on attendait sans doute de lui, Shambhala, pour la première fois depuis le jour où son père l'avait battu, ressentit de la colère. Ce n'était pas une colère ordinaire: c'était de la rage, une rage dévastatrice.

Submergé par un véritable volcan, Shambhala n'entendait plus la voix du guru. Le grondement intérieur de la furie qui le secouait le fit grincer des dents et serrer les poings.

Spandananda crut un instant que le jeune homme allait sortir de ses gonds et il ralentit légèrement le rythme du texte et de la traduction, réduisant ainsi l'intensité du feu que l'incantation allumait.

Shambhala inspira profondément, expira lentement. Le visage du guru, éclairé par une torche qu'un serviteur venait de suspendre au mur, semblait animé par les feux de l'enfer.

Des braises brûlaient au fond des yeux de Spandananda. La danse des flammes créait des ombres sur le visage bien-aimé. Des dizaines et des dizaines de personnages apparurent tour à tour sur le visage du guru et Shambhala sut que ce n'était pas la première fois qu'ils se rencontraient, Spandananda et lui.

L'hallucination visuelle était telle qu'elle effaça totalement les sons. Shambhala se retrouva dans un monde de silence, bleuté et frais. Il se sentit tout à fait bien, reposé, rafraîchi. Peu à peu, la voix du guru fut de nouveau audible et son visage familier réapparut. Shambhala entendit la traduction de la prière finale du *Rudram*:

— «Ô Mère Terre! Ne m'afflige point. Je n'aurai que pensées douces et bénéfiques. Je n'agirai qu'avec douceur...»

Concluant sur un vibrant hommage à tous les gurus de sa lignée, Spandananda garda ensuite le silence.

Le gong annonçant le couvre-feu du soir retentit. Sur un signe de son précepteur, Shambhala comprit qu'il était temps de prendre congé. Il se retira le plus tranquillement possible et, tandis qu'il traversait la cour intérieure pour se rendre chez lui, quelque chose le fascina.

Les arbres étaient bleus! Malgré la nuit sombre, inexplicablement, les feuillages scintillaient, bordés de bleu vif. Émerveillé, Shambhala se traîna à travers les jardins. La fine silhouette des cyprès flanquant l'allée qu'il emprunta se découpait en indigo contre le noir du ciel et les arbres de la cour intérieure de sa maison ruisselaient d'un bleu outremer.

C'est seulement alors que Shambhala constata que la colère inextinguible qui l'avait embrasé était complètement retombée.

❑

Chaque jour, peu avant le coucher du soleil, Shambhala se rendit au *Rudram.* Chaque jour, les syllabes incandescentes allumaient un brasier de haine dans son plexus solaire. Il avait le sentiment que des serpents de feu sifflaient tout autour de lui, attisant sa colère.

Spandananda scandait le chant et Shambhala sentait le souffle brûlant du maître sur son visage. Chaque fois qu'il inspirait, c'était un véritable soufflet de forge qu'il activait et, quand il expirait, c'était comme si le guru versait du beurre clarifié sur son disciple qui flambait de rage, accroché aux mantras, craignant à tout moment de perdre l'esprit.

Chaque jour, par miracle, son courroux retombait en cendres. Shambhala, tout en réclamant pour lui-même le contentement promis par le chant, se mettait immanquablement à souhaiter le bien-être, la prospérité et le succès aux membres de l'assemblée, à ses frères, à sa mère, aux courtisans, à Lalitâ qui s'était montrée trop lâche pour défier son maître de danse, à Râjendra qu'il n'aimait pas, à Gopî et à Lîlâ qu'il adorait, à toutes les personnes de sa connaissance. Chaque jour, l'étendue de ses bénédictions prenait de l'expansion: il en vint à souhaiter les plus grandes joies même aux personnes qu'il ne connaissait pas et, bientôt, à tous les êtres humains.

Spandananda cessa d'assister au chant quotidien mais Shambhala sentait sa présence imprégner chaque particule de l'atmosphère. Un jour, son cœur s'ouvrit totalement tandis qu'il souhaitait du bonheur au monde entier. Subitement, le monde entier s'évanouit. Il n'y avait plus, dans tout l'univers, qu'une seule chose: *spanda, spanda, spanda,* la pulsation cosmique du Divin. Les êtres humains n'étaient plus distincts et séparés: tous se fondaient dans l'extatique *spanda.* Il n'y avait rien d'autre que le guru, saturant de sa béatitude chaque atome du réel. Il n'y avait rien d'autre que l'Atman.

À cet instant, Shambhala comprit que seule importait l'âme de l'univers présente en chacun. Tant et aussi longtemps qu'il se remémorerait l'Atman et qu'il maintiendrait sa communication avec le Soi, les bénédictions se déverseraient généreusement de son cœur sur le monde entier.

Dans un envol final, Shambhala goûta un moment d'union parfaite avec celui qui avait brisé sa vie. Et, sans savoir où se trouvait Achyûta, Shambhala, de toute son âme, souhaita à son père de trouver la paix.

CHAPITRE VIII

L'appel

Un seul désir avait envahi Shambhala: il voulait être libéré. Maintenant qu'il n'avait plus de corps pour danser, il ne lui restait plus que l'espoir d'atteindre l'état de béatitude de son vivant plutôt que de revenir dans un autre corps que n'importe qui, dans un accès de rage, pouvait briser. Il lui répugnait encore davantage d'avoir à attendre une éternité avant d'obtenir un autre corps physique.

Il avait maintenant quinze ans et espérait que le guru lui accorderait l'initiation. Le maître éveillait alors la Kundalinî du disciple: elle grimpait le long du canal central du corps subtil, nettoyant les six premiers centres d'énergie avant d'atteindre la septième au sommet du crâne où elle s'épanouissait en union avec le Divin.

Shambhala avait déjà fait l'expérience de l'éveil de la Kundalinî et il avait maintes fois senti le serpent d'énergie lui percer le front entre les sourcils. Mais pour le passage suprême entre ce centre d'énergie et le lotus aux mille pétales du sommet du crâne, il fallait absolument que le guru lui-même commande à la Kundalinî de monter jusque-là. Sans le commandement du guru, elle ne pouvait accomplir ce saut prodigieux.

Le jeune homme n'osa parler ouvertement de son désir mais Spandananda le devina quand il vit la résolution avec laquelle Shambhala entreprit toutes les pratiques du yoga. Il fit preuve d'un zèle inaltérable, méditant de deux à trois heures par jour et assistant systématiquement à tous les chants, de la prière du matin à l'hymne à la gloire de Shiva du soir.

Mais c'est surtout par la pratique du service au guru que Shambhala espérait brûler le karma qui lui interdisait encore de recevoir la plus haute initiation. Bhâktananda lui avait expliqué que servir le guru était un privilège rare et que c'est seulement quand on le servait que le guru pouvait neutraliser les conséquences actuelles de certaines de nos actions passées.

Shambhala fut très touché quand Spandananda lui confia la tâche de laver le sol de marbre du petit temple. Il s'y affairait une bonne partie de l'après-midi car ce n'était pas chose facile pour l'infirme qu'il était devenu. Bhâktananda lui apportait un baquet d'eau et Shambhala, tous les jours, lavait consciencieusement le marbre frais. Les portes étaient alors fermées, les rideaux tirés, et Shambhala appréciait grandement ce moment d'intimité avec Atmananda dont la statue d'or semblait l'observer tandis qu'il effectuait silencieusement sa besogne.

Il prenait plaisir à muscler ses bras et eut l'intuition que le vieux maître disparu lui transmettait ainsi sa grâce pour consumer quelque marque laissée par le passé dans ses membres supérieurs. Au bout de quelque temps, en effet, la douleur musculaire chronique qui le taraudait au bras droit, trop sourde pour l'avoir empêché de danser mais quand même désagréable, disparut complètement.

Shambhala en fut reconnaissant et cela ne fit qu'amplifier son ardeur au travail. On le chargea bientôt de préparer aussi les quarante flammes utilisées pour l'offrande du soir et Shambhala, de plus en plus absorbé par son service au guru, finit par trouver un certain contentement à vivre malgré sa condition.

❑

À la surprise générale, le maharadjah annonça qu'il avait résolu de prononcer les vœux de vie monastique. On lui rasa le crâne et, vêtu d'un vêtement blanc, il se présenta devant le guru. Râjarâja était toujours d'une beauté aussi frappante mais, sans ses boucles noires, le monarque avait tout à fait l'air d'un ascète.

Le front enduit de cendres sacrées, amaigri par le jeûne préparatoire que Spandananda lui avait fait suivre en secret, le maharadjah s'avança vers son maître avec lenteur et humilité.

Il se prosterna face contre terre, mains jointes au-dessus de la tête, et participa à la cérémonie de son initiation avec une grande force de concentration.

Le rituel dura cinq jours. À la fin du sacrifice, l'ascète s'était dépouillé de son identité royale, faisant monter son fils aîné sur le trône de son vivant, ce qui ne s'était jamais vu dans l'empire. Il espérait que Râjendra serait un bon souverain. Le maharadjah cédait volontiers son pouvoir temporel bien qu'il fût un peu inquiet de laisser ses sujets entre les mains du prince mal dégrossi qu'il n'avait jamais vraiment aimé.

L'initié reçut le nom d'Âkâshananda, ce qui signifiait: «la béatitude de l'immense espace éthérique». Tandis que les brahmanes scandaient les mantras sacrificiels il réalisa que sa vie jusqu'à ce jour n'avait été qu'un rêve dans le brouillard et que maintenant, enfin, il voyait.

L'intensité de ce qu'il vit le submergea et, titubant, il se précipita dans les bras de son guru qui le serra affectueusement contre lui, conscient de la force de la Shakti qui s'était emparée du système nerveux de son disciple, le brûlant jusqu'à la moelle.

Shambhala sentit une source de joie inaltérable jaillir dans son cœur. L'étreinte du guru et du disciple était imprégnée d'une telle ferveur qu'il pensa que c'était ainsi qu'il avait toujours imaginé le moment où le Seigneur Râma prend son fidèle Hanumân dans ses bras pour le remercier de l'avoir aidé à accomplir sa mission.

Le jeune homme échappa au temps tandis qu'Âkâshananda, abîmé d'amour, s'abandonnait contre la poitrine du guru, parfait disciple de cette perfection.

❑

La tête enfouie au creux de la poitrine de son guru, Âkâshananda sentit la laine douce du châle contre sa joue et des vies entières levèrent dans sa mémoire par grands pans. Il se revit nourrisson dans les bras d'innombrables mères, mais c'était toujours le cœur de la Shakti qui battait en chacune. Il entendait les coups lents et réguliers du cœur de Spandananda et ce rythme était porteur de la plus grande liesse.

Il vit alors se lever le soleil. Un soleil éclatant montait, majestueux et unique dans le ciel sans nuages de son esprit. L'avalanche de lumière qui envahit son corps lui fit perdre momentanément contact avec la réalité.

La joue rugueuse de Spandananda contre la sienne le ramena à son état habituel: le guru lui étreignait les épaules avec force, cherchant à le maintenir conscient. Il ouvrit les yeux: l'image du soleil levant persista. Derrière le voile translucide de son esprit, Âkâshananda revit la haute flamme du feu rituel nourrie de beurre clarifié et il réentendit les appels du *Sâma-Veda* que psalmodiaient les brahmanes.

Spandananda plongea les yeux dans ceux d'Âkâshananda et le disciple se perdit tout à fait dans les deux planètes noires jumelles qui l'attiraient irrésistiblement. Il se fondit dans l'amour de son maître.

Assis dans un coin du tombeau tapissé de plumes de paon, Shambhala se fâcha quand des dévots qui ne le connaissaient pas lui firent l'aumône. L'infirme, rageur, lança les piécettes aux enfants en sortant.

Il erra longtemps dans les jardins, se traînant lamentablement sur ses paumes durcies de corne. Cette nuit-là, Spandananda lui apparut en rêve. Le guru était nimbé d'or. Il donna un coup du plat de la main sur les omoplates de Shambhala en lui disant:

— C'est comme dans un autre siècle.

Shambhala demanda:

— Où? Ici?

Mais il se réveilla avant que le guru n'ait pu lui répondre.

Il en conclut qu'une expérience vécue dans un autre temps se répétait encore une fois. Il aurait aimé savoir où et quand il avait été disciple de Spandananda, il aurait aimé savoir pourquoi il lui fallait revivre ce qu'il avait déjà vécu. Quand donc recevrait-il enfin l'initiation suprême qui lui permettrait d'échapper une fois pour toutes à la répétition?

❑

Shambhala avait à peine pratiqué le yoga, occupé qu'il était à assimiler les techniques fort complexes du Bhârata-natyam, mais, devenu invalide, il s'intéressa à cette discipline bien que les postures auxquelles il avait accès fussent fort limitées. Il éprouvait du moins la sensation que son corps torturé pouvait encore se mouvoir.

La respiration profonde du yoga lui permit de vaincre peu à peu la douleur dans ses jambes, bien qu'il ne retrouvât jamais l'usage de celles-ci. Un yogi, arrivé à la cour peu de temps après le début du règne de Râjendra, fut accueilli avec beaucoup de chaleur par le guru. Apercevant un jour l'infirme en train d'adapter maladroitement une posture au sol, l'homme lui proposa de lui enseigner le yoga physique. Shambhala accepta avec plaisir et fit des progrès remarquables en peu de temps.

La gamme des postures étant pour lui très réduite, Shambhala tenta de réussir au moins l'une d'entre elles à la perfection. Son professeur, en effet, lui avait expliqué que le hatha-yoga avait pour but d'unir l'homme au Divin et que cela était accessible dans sa condition d'invalide.

Il lui fallut bientôt admettre que la seule posture dans laquelle il pourrait exceller était la posture du cadavre. Il en pleura de dépit.

Même cela, être étendu sur le dos, paumes ouvertes et jambes légèrement écartées, dans une posture d'abandon total, même cela était extrêmement difficile. Il avait bien du mal à détendre ses jambes, traversées de crampes nerveuses et affaiblies par l'inaction.

Le yogi lui apprit patiemment à devenir conscient de chaque muscle de son corps, de chaque nerf, à sentir de l'intérieur ce qui se passait et à contrôler ses spasmes. L'exercice lui fit le plus grand bien et il souffrit de moins en moins.

Quand il abandonnait ainsi son corps au vaste ciel, étendu sur la plate-forme de bois où s'était joué son destin, Shambhala sentait de l'or en fusion pénétrer son corps, le nettoyant de sa douleur, dénouant les tensions qui enchevêtraient son énergie vitale et ses émotions. Chaque jour, il revivait la scène où son père s'avançait avec son bâton de voyageur et lui fracassait les jambes mais, avec le temps, cette scène prit l'apparence d'un rêve et, quand il la revivait, Shambhala ne se contractait plus au point de perdre conscience comme cela lui arrivait au tout début de sa pratique du yoga.

Étendu au soleil du printemps déjà chaud malgré l'heure matinale, il se rappelait ce que Spandananda lui avait dit au sujet de son père. Quelle faute terrible avait-il donc pu commettre dans une autre vie pour qu'Achyûta ait dû le punir aussi sévèrement dans celle-ci? S'il le délivrait d'un lourd karma, son père, en agissant de la sorte, n'avait-il pas chargé le sien? Lui faudrait-il, à son tour, un jour, l'aider à remettre cette dette karmique?

Il avait beau réfléchir, Shambhala sentait bien que tout cela dépassait son entendement. Il importait qu'il pardonne à Achyûta, qu'il pardonne entièrement. Or, si son intelligence et son cœur avaient déjà pardonné, Shambhala savait fort bien que son corps, lui, ne pardonnait toujours pas. Son corps était ivre de ressentiment.

❑

— Le perroquet est la monture de Kâma, dieu de l'amour, le taquina Bhâktananda, mais on dirait bien que le perroquet, à son tour, t'a pris pour monture.

L'oiseau avait en effet pris l'habitude de se percher sur l'épaule de Shambhala et l'accompagnait à son cours de sanscrit, ne répétant toujours que la syllabe qui contenait tous les sons bien que Shambhala, lui, dût apprendre chaque jour des listes interminables de termes nouveaux.

Un jour qu'il avait été bouleversé par un mot dur qu'avait eu envers lui le nouveau maharadjah, son ennemi depuis l'enfance, Shambhala interrogea son vieux maître sur la raison réelle d'une telle vague d'émotion. Comment un simple mot pouvait-il susciter pareille débâcle? Son cœur s'était serré, il respirait mal, son corps était fiévreux et, bien que parfaitement conscient de l'aspect automatique et absurde de sa réaction, il n'arrivait pas à la dominer.

Le grammairien mit de côté le manuscrit qu'il avait l'intention de faire déchiffrer à son élève ce jour-là et, joignant ses mains aux doigts fins, presque transparents, il expliqua. Il ignorait quel était le mot qu'avait employé Râjendra et ne songea pas un seul instant à demander à Shambhala, qu'il voyait nerveux et crispé, de le lui répéter. Il lui suffisait de constater que la charge avait porté pour deviner. À l'aide des sons contenus dans ce mot, Râjendra avait transmis une vibration négative; celle-ci, sous forme d'onde invisible, opérait un tumulte dans le corps aussi bien qu'une pierre lancée dans l'eau en perturbe la surface.

Quand on voit l'effet considérable qu'un simple mot peut produire sur le corps et sur l'âme, poursuivit le professeur, on comprend mieux l'importance de la répétition du mantra. Le nom du Bienveillant a aussi un impact: il fait pénétrer le sacré dans la matière, la mettant peu à peu en harmonie avec lui.

Bhâktananda expliqua encore une fois comment le son *Om* contenait toutes les lettres de l'alphabet sanscrit et constituait la vibration du tout. Il se perdit alors dans de longues explications techniques que son élève n'écouta pas vraiment.

Shambhala s'était mis à répéter le mantra mentalement dans l'espoir de calmer son esprit que les propos du vieil homme n'avaient pas réussi à apaiser. Il se concentra et tenta de s'absorber complètement dans les sons sacrés. L'espace entre les syllabes se remplissait vite quand sa pensée, frustrée de ne plus pouvoir s'exprimer, s'infiltrait dans les interstices et commentait:

— Tiens, ça marche! L'esprit s'est arrêté!

Aussitôt cette pensée apparue, une autre l'informait que non, il pensait encore et enfin, l'autre syllabe du mantra apparaissait, à laquelle il s'accrochait comme à une bouée.

Il résolut de s'absorber dans le mantra le plus longtemps possible. Il prit congé de son professeur et se rendit dans le jardin. L'après-midi touchait à sa fin et la lumière était belle. Il répétait silencieusement les syllabes, attentif au mantra qui battait dans son cœur avec une infinie douceur et il eut, à ce moment, l'expérience d'être réellement Shiva.

Il était immensément grand, aussi majestueux que le mont Kailas dans l'Himâlaya. Assis en lotus, les yeux clos mais le troisième œil bien ouvert, il percevait ce disciple qui, sur terre, dans un jardin tropical ensoleillé, par une paisible fin de journée, l'invoquait.

Shambhala fut simultanément l'invalide du jardin et le dieu bleu géant: une prière naquit dans son cœur humain, une prière adressée au dieu omnipotent, une humble prière. Il demanda à Shiva de lui apprendre à répéter son nom avec amour, constamment, afin que la liaison établie entre eux le soit de façon permanente. Shiva leva la main droite, paume ouverte, en un geste de bénédiction. Shambhala sut que sa prière serait exaucée.

❑

Resté dans le temple après l'offrande du soir, Shambhala méditait. Une angoisse incoercible l'étreignait. Il comprit qu'il valait mieux faire face plutôt que de tenter d'échapper à l'orage qui s'annonçait. De son subconscient montaient des débris et seul le mantra pouvait les purifier.

Il tournait en rond dans une forêt calcinée, par une nuit froide. Le paysage était désolé. Il était au désespoir et pria Spandananda de l'aider à traverser cette forêt inhospitalière. Aussitôt, la voix du guru se fit entendre:

— Choisis d'autres images si celles-ci te font peur.

Il se mit à neiger. De la neige? Shambhala n'avait jamais vu la neige. D'où venaient donc ces visions? Les légers flocons blancs tombèrent en abondance et la neige couvrit bientôt le sol: la forêt prit un aspect moins sinistre. Shambhala aperçut alors une maison. Derrière les fenêtres, une flamme dansait. Oh! il y avait donc du feu, des gens, dans cette froide forêt! Il s'approcha et regarda par l'ouverture de la fenêtre.

Des ours, grands et petits, dressés sur leurs pattes de derrière et vêtus comme des hommes, des femmes et des enfants s'activaient à astiquer de grands chaudrons en chantonnant. Shambhala se mit à rire: son service au guru, depuis quelque temps, était de polir les lourds récipients de cuivre dont on se servait à la cuisine jusqu'à ce qu'ils soient bien brillants. Voici donc que le fruit de son service était cette image rassurante: des ours, bêtes fabuleuses qu'il n'avait jamais vues mais que son père lui avait maintes fois décrites, s'affairaient à accomplir leur travail avec diligence et bonne humeur.

Peu à peu cependant, l'image se dissipa. Shambhala respirait mieux et la forêt revint hanter son esprit. Il ne faisait plus nuit mais tout était sombre et de la suie tombait du ciel. Les arbres étaient noirs, brûlés, et la terre couverte de cendres. La consternation lui agrippa de nouveau le cœur et Shambhala comprit que c'était la fin.

Il se cachait dans une caverne. Du ciel noir tombait une pluie de cendres, des troncs d'arbres morts dérivaient sur un courant d'eau boueuse. Le froid le pénétrait jusqu'aux os. Il était la cause de cette catastrophe, le monde était en train de disparaître à cause de lui. Avait-il trahi, avait-il échoué, il ne savait plus. Elle ne savait plus. Car c'était une femme. Elle avait été chargée d'une importante mission pour la survie de son peuple. Elle n'avait pas réussi. Il avait été cette femme, autrefois. Shambhala s'arrêta.

Que signifiaient ces histoires que fabriquait son imagination? Il ne saurait donc jamais méditer! Il avait oublié le mantra depuis longtemps, séduit par les fantasmagories de son esprit et incapable de se concentrer sur Shiva et d'atteindre l'unité avec lui. Peu importe quelles autres vies il avait vécues avant celle-ci! Le guru ne l'avait-il pas mis en garde contre les séductions de l'*âkâsha*? L'éther conservait en mémoire tout son passé depuis sa première incarnation sur terre, il conservait même dans ses archives immatérielles la trace de son existence dans les autres mondes. Qu'importait le passé de Shambhala Sharmâ? Il payerait tous ses karmas, de toute façon. C'était la loi.

Oh! comme il se dégoûtait! Son esprit était trop indiscipliné. Il aurait beau chercher à atteindre l'Atman, il échouerait lamentablement. Shambhala éprouva alors, dans toute son horreur dévastatrice, la haine de lui-même.

À l'instant où il toucha le fond, un parfum d'ambre l'arracha à sa transe. Il eut conscience que Spandananda se trouvait tout près de lui, dans l'ombre du temple désert où brûlaient les dernières flammes de l'offrande. Le froissement de la robe de soie du guru confirma son impression. Il gardait les yeux fermés, les muscles du visage contractés, la respiration contrainte, prêt à redescendre dans l'enfer auquel la distraction l'avait momentanément soustrait.

Spandananda plaça la main droite sur le sommet du crâne de Shambhala qu'il pressa avec une force étonnante. Le jeune homme entendit nettement, en lui, résonner les mots:

— Ce que tu vois est vrai.

Instantanément, un puissant jet de lumière serpenta le long de son dos et retomba en fines gouttelettes bleues au-dessus de sa tête.

Ce fut comme le jour et la nuit. Shambhala avait beau tenter de se rappeler l'atroce douleur qui saturait son organisme tout entier un moment plus tôt, il ne la retrouvait pas. Toute souffrance s'était évanouie. Il avait l'esprit clair, le cœur en paix, le corps reposé. Il se sentait si bien qu'il ouvrit les yeux dans l'espoir d'apercevoir le guru même si celui-ci n'aimait pas qu'on l'observe quand il donnait l'initiation.

Car c'était bien ce qui venait de se passer! Spandananda venait d'éveiller sa Kundalinî! Shambhala vit alors le guru qui revenait du fond du temple. Au-dessus de sa tête dansait la Shakti, déesse noire et sublime. L'amour qu'il éprouva pour Spandananda à cet instant surpassa en intensité tout ce qu'il avait éprouvé jusqu'alors. Il pensa:

— C'est un grand sultan! C'est le grand sultan de Bagdad du conte que j'aimais tant!

Spandananda se dirigeait vers lui: Shambhala ferma les yeux. Il entendit alors très nettement une voix intérieure qui disait:

— Tu as tellement d'imagination!

Shambhala sentit que ce n'était pas seulement un compliment et il éclata de rire.

Une odeur de poudre lui parvint et, tout de suite, il sentit les plumes de paon voleter autour de sa tête. Leur fragrance persista longtemps et il sut qu'il avait désormais une seule chose à faire: il lui fallait pardonner à Achyûta de lui avoir brisé les deux jambes. Il lui fallait aussi se pardonner à lui-même ses erreurs passées car c'était là le chemin de sa libération. Le guru quitta le temple, tenant élevé au-dessus de sa tête son bâton orné de plumes de paon dans lequel, à la faveur de l'obscurité, Shambhala avait cru voir la déesse.

❑

Les disciples s'étaient rassemblés peu avant l'aube pour chanter l'hymne au guru comme tous les matins quand Spandananda, que personne n'attendait, entra dans la cour intérieure, s'avançant lentement dans l'allée centrale. Quand il passa tout près de Shambhala, celui-ci sentit le frôlement de son châle qui flottait autour de lui et en éprouva un grand calme.

Spandananda entonna le chant de sa voix pleine et vibrante. Shambhala chantait les mantras avec délice, prononçant distinctement chacune des syllabes sacrées, espérant que, parmi toutes les voix, son guru reconnaîtrait la sienne.

Un chatouillement dans le bas du dos le déconcentra. C'était plus qu'un chatouillement, en fait, c'était même douloureux. Soudain, la douleur bondit un peu plus haut, lui parcourut la colonne vertébrale. Il continuait à chanter, le dos en feu, terrorisé. Que se passait-il?

Shambhala crut qu'il allait mourir. Lui qui se croyait amplement détaché des joies de ce monde se surprit à trembler à l'idée que son temps était venu. Son cerveau grésillait, sa pensée se déployait dans toutes les directions à la fois, embrassant plusieurs dimensions, tourbillonnant vers l'infini. Il comprenait enfin des choses qu'il avait toujours voulu comprendre mais tout se déroulait si vite qu'il se sentit bientôt à bout de souffle, incapable de retenir quoi que ce soit des révélations qui lui étaient faites.

Il prononçait avec attention chacun des versets de l'hymne, s'accrochant au chant même s'il avait l'esprit brûlant. Il se sentait dans un état d'éveil suprême et le guru constituait le seul élément fixe d'un décor qui changeait à vue d'œil. Parfois c'étaient de hauts plateaux secs et venteux sur lesquels galopaient des hordes de chevaux sauvages ou bien des sommets enneigés se profilaient contre l'azur éblouissant. À d'autres moments, il était dans la forêt vierge, sous la pluie.

Seul Spandananda, figure de feu au centre de son hallucination, ne se transformait pas. Absorbé par le chant de dévotion au guru, le maître avait le visage presque pâle dans le jour naissant.

Shambhala cligna des yeux et les images s'évanouirent. Il vit clairement le visage serein de Spandananda, les fidèles assis dans la cour, les premières lueurs de l'aube au-dessus des frondaisons.

Spandananda se balançait dans son fauteuil, levant les bras par moments, extatique. À ses pieds, Âkâshananda oscillait de gauche à droite et d'avant en arrière, enivré par le chant.

Shambhala entendit un son venu d'un autre monde. Un son prodigieux qui pénétrait chaque particule de l'espace avec tant de puissance qu'il était quasi inaudible et pourtant envahissant.

Il se sentit appelé. À quoi, il n'en avait pas la moindre idée. Appelé par qui? Il regarda Spandananda qui souriait, bras grands ouverts au-dessus de sa tête et qui, il l'aurait juré, lui fit un clin d'œil! Mû par un commandement interne supérieur, Shambhala replongea dans l'obscurité de son esprit.

Il crut que quelque part dans le futur, une autre version de lui-même essayait d'entrer en contact avec lui. Shambhala chassa aussitôt la vision: il n'y aurait pas de futur, il n'y aurait pas d'autre incarnation! Il atteindrait la libération dans cette vie. Spandananda, comme s'il avait entendu le vœu de son disciple, se mit à battre des mains, vibrant d'un enthousiasme communicatif. Shambhala oublia tout et se perdit dans l'extase du chant.

❑

Le chaudron de cuivre reluisait comme un miroir. Satisfait, Shambhala, assis par terre dans la grande cuisine du palais, rangea son chiffon et, appelant Bhâvanî, lui demanda d'accrocher la marmite au mur. Il était en train de se laver les mains quand la porte des cuisines s'ouvrit. Tout était silencieux et il n'y avait plus que lui et sa mère dans la pièce, car on n'avait pas encore commencé les préparatifs du repas de midi. Instinctivement, Shambhala leva la tête.

Il était là. Spandananda avait surgi et il se tenait dans l'entrebâillement de la porte, soie rouge vif et brocart orange se détachant sur le fond sombre de la grande salle à manger. Le guru s'entretenait avec quelqu'un que le jeune homme ne voyait pas et qui se trouvait dans l'autre pièce.

Shambhala sentit un coup de chaleur. Le guru, parti en pèlerinage depuis plusieurs mois, était enfin de retour au palais! Une aile de celui-ci avait été transformée et on accueillait désormais de nombreux disciples désireux de s'adonner aux pratiques spirituelles. Bien que peu religieux lui-même, le nouveau maharadjah avait de l'admiration pour ceux qui consacraient leur vie à la recherche du Divin et il avait accepté volontiers de se rendre à la requête de son père quand celui-ci avait exprimé le désir que la grande Salle des Fêtes soit désormais réservée aux néophytes qui étaient logés et nourris dans le palais contre une offrande qu'ils faisaient au guru en échange de l'enseignement qu'ils venaient chercher auprès de lui.

De retour chez lui après une longue absence, le guru, accompagné d'Âkâshananda et de son fils Râjendra, inspectait les nouveaux quartiers, saluant d'un sourire ou d'une aimable remarque les disciples occupés à laver le parquet ou à arroser les arbres fruitiers de la cour intérieure.

L'infirme avait toujours les mains dans l'eau, le regard fixé sur le guru dont la silhouette semblait d'une autre matière que le reste. Il eut l'impression que Spandananda était fait de lumière et que tout le reste, la porte, les chaudrons suspendus au mur de la cuisine, le noir béant de la salle à manger plongée dans l'ombre en cette fin de matinée, tout cela semblait gris, terne et plat. Seul le maître semblait vivre d'une vie intense, chaque particule d'air vibrant autour de lui.

Quand le guru pénétra dans la cuisine et la traversa sans même jeter un regard à l'infirme, celui-ci joignit les mains sur sa poitrine et, spontanément, émit une salutation en tamil qui, bien que courtoise, était des plus déplacées. On n'interpelle jamais le guru de la sorte!

Honteux de ce geste de bienvenue qui lui avait échappé, Shambhala sentit toutefois que Spandananda ne lui en tenait pas rigueur. Au contraire, une force irrésistible le contraignit à suivre le guru et Shambhala, sans se donner le temps de se sécher les mains, se traîna rapidement dans le sillage de Spandananda qui échangea quelques mots avec Bhâvanî au sujet du ravitaillement, s'informant de la qualité de la récolte de concombres et de piments. Le guru traversa ensuite l'aile entière, salle après salle, s'arrêtant un instant pour bavarder avec l'un ou l'autre de ses disciples.

Fasciné, Shambhala le suivit dans un grand corridor. D'autres avaient emboîté le pas à Spandananda et l'infirme ne pouvait plus se mouvoir avec autant de rapidité car il devait désormais éviter de se faire piétiner par les disciples tous plus ou moins excités, comme chaque fois que leur bien-aimé permettait ainsi qu'on l'accompagne.

La petite troupe s'engouffra bientôt à la suite du maître dans une salle de méditation tendue de rouge que le nouveau maharadjah venait d'aménager. Spandananda se prosterna humblement et prit place dans le fauteuil du guru.

Ram, Lakshman et quelques autres musiciens arrivèrent à la hâte, alertés par le mouvement de la petite foule qui traversait le palais. Ils accordèrent rapidement leurs *vînâs* et tendirent les peaux de leurs tambours pendant que Spandananda questionnait les personnes assises près de lui, s'enquérant de ce qui s'était passé pendant son absence.

Le guru entonna le mantra du Shiva de la joie et Shambhala, qui n'avait pas réussi à se faufiler à l'avant et se trouvait assez loin du guru, eut pourtant la certitude que Spandananda chantait expressément pour lui.

Il s'absorba dans les sons et, peu à peu, chacune des cellules de son être se mit à danser. Un rayon très fin et très puissant, d'un bleu froid, émanait du cœur de Spandananda et pénétrait en profondeur celui de l'infirme. Reconnaissant, Shambhala laissa entrer l'énergie divine qui purifiait son corps de tout ressentiment.

Cela dura une heure. Shambhala tanguait dans le bain d'eau bleue du chant, tapant dans ses mains, ondoyant des bras. Parallèlement à l'intervention de Spandananda sur son corps physique se déroulait une conversation télépathique entre le disciple et son maître. Le guru disait:

— Tu es mien n'est-ce pas, Shambhala?

Étonné de cette invitation à se donner encore davantage, Shambhala, ému, finit par répondre que oui, il était sien, qu'il lui donnait sa vie.

CHAPITRE IX

Le Seigneur de la Mort

Depuis qu'il ne pouvait plus marcher, Shambhala avait vu surgir un nouvel ennemi intérieur: la gourmandise. Lui qui n'avait pourtant jamais eu beaucoup d'intérêt pour la nourriture avait développé, au cours de sa convalescence, une appétence toute nouvelle pour les aliments.

Cela lui permit de recouvrer rapidement ses forces mais sa nouvelle tendance eut bientôt pour conséquence de l'alourdir et son poids doubla rapidement. Restées chétives, ses jambes inactives et douloureuses juraient avec son torse corpulent et ses bras musclés. Le frêle garçon s'était transformé en jeune homme obèse et difforme. Son poids était plus lourd à traîner mais, surtout, cela était mauvais pour le cœur comme le lui avait expliqué le médecin.

Il fit donc des efforts pour vaincre sa gourmandise, se contentant d'une seule galette de blé par repas, diminuant les portions de riz et de légumes, évitant les sucreries dont il s'était mis à s'empiffrer.

Le médecin craignait aussi que le poids excédentaire ne ramène les crises nerveuses, miraculeusement disparues depuis que Shambhala avait renoncé au lait.

Malheureusement, il eut bien du mal à sacrifier le sucre. Il y arrivait pendant cinq, six jours, une semaine. Son poids diminuait, il se sentait mieux. Puis, quelque menu incident venait bouleverser sa sensibilité à vif et, comme il ne pouvait plus avoir recours à la griserie du mouvement pour expulser cette énergie mauvaise, il absorbait des confiseries, espérant bien absurdement recréer ainsi l'équilibre perdu.

La raison lui montrait fort bien à quel point son comportement était ridicule. Pourtant, quand le désir obsédant d'un rahat-loukoum le possédait, Shambhala se faufilait dans les appartements de la quatrième femme de l'ancien maharadjah qui se réjouissait de sa visite. Il babillait avec la petite Lîlâ qui se faisait une fête de jouer avec lui et il avalait les uns après les autres les bonbons exotiques dont son hôtesse avait toujours d'amples provisions, qu'elle partageait volontiers avec ses intimes.

Shambhala passait de plus en plus de temps chez Kundavai. Il se chamaillait avec ses enfants, faisait des câlins à la benjamine, mangeait des gâteaux et bavardait avec ses invitées qui appréciaient la compagnie du jeune homme dont l'histoire tragique les intéressait au plus haut point.

Insidieusement, celui-ci prit goût à l'attention dont il était l'objet et si, au début, il se montrait réticent à raconter ce qui lui était arrivé, il perdit peu à peu sa réserve et se révéla bientôt fort prolixe dès qu'on l'interrogeait sur les circonstances malheureuses qui avaient fait de lui un infirme.

Kundavai servait une boisson chaude au gingembre parfumée à la cardamome. Buvant tasse sur tasse de ce breuvage épicé, Shambhala s'excitait, embellissait son histoire et, disert, éloquent, d'une verve intarissable, il subjuguait son auditoire exclusivement féminin qui ne quittait le salon qu'à regret, vers la fin de l'après-midi, la larme à l'œil. Les dames revenaient fidèlement le jour suivant, avec leurs amies, pour entendre la suite.

Même après avoir entendu l'histoire du danseur des dizaines de fois, son hôtesse ne s'en lassait pas et, engloutissant des quantités phénoménales de sucreries, les yeux brillants, elle posait des questions qui relançaient sans cesse le conteur.

Seule Gopî semblait se lasser de ce jeu. Au bout de quelque temps, dès que Shambhala faisait mine de raconter sa sempiternelle histoire, la petite fille se levait dignement et sortait, abandonnant ses compagnes de jeu et sa mère qui craignait que le comportement de sa fille ne froissât leur hôtesse.

Celle-ci, cependant, ne s'apercevait de rien ou prétendait ne rien voir, désireuse d'éviter toute interruption au passionnant récit qui, jour après jour, s'enrichissait de détails de plus en plus frappants pour l'imagination.

Shambhala avait beaucoup appris en écoutant Yasmine lui raconter les contes merveilleux de son enfance persane. Le talent de l'élève surpassait déjà celui du maître, racontaient les dames. Elles auraient cependant bien voulu amener le jeune homme à ajouter quelques épisodes sentimentaux à sa tragédie mais ce fut peine perdue: les plus rusées d'entre elles se heurtèrent à un mur de froideur.

Non, c'était bien dommage, mais le jeune conteur refusait de révéler quoi que ce soit des tourments amoureux de sa jeune âme. La seule mention du nom de Lalitâ le plongeait dans la plus sombre mélancolie. Les dames soupiraient, déçues, tandis qu'il se taisait tout l'après-midi, leur laissant la parole, perdu dans ses pensées et peu soucieux de se mêler à leurs bavardages.

On faisait semblant d'oublier pendant quelques jours; l'infirme, de son côté, boudait et se contentait de passer les heures les plus chaudes de la journée dans la véranda, en compagnie du perroquet qui répétait son mantra en se lissant les plumes et en s'accrochant désespérément à son perchoir roulant, inconscient du fait qu'il était libre et qu'il n'avait qu'à lâcher prise pour s'envoler.

Kundavai, quand elle sentait que la situation s'était de nouveau tassée, envoyait un de ses enfants porter une boîte de fruits confits au jeune homme, qui, flatté qu'on recherche avec autant d'empressement sa compagnie, finissait par se rendre de nouveau chez la dame où, calé dans de moelleux coussins de soie, il parlait, parlait et parlait, grisé par le sucre et par le plaisir évident qu'il suscitait chez ses auditrices.

Si son hôtesse jouait les dupes, Shambhala, lui, remarquait avec une douleur sourde que Gopî lui battait froid et qu'elle s'éclipsait avec une grimace de dégoût dès qu'il prenait la parole.

Un jour, elle se retourna avant de quitter la pièce et lui fit une telle moue que Shambhala, bien que lancé dans son histoire et incapable de s'arrêter, en fut profondément bouleversé. Les traits de la petite fille s'étaient complètement altérés et le visage qu'elle lui présentait était un masque de stupidité.

Ce n'était pas un masque réjouissant et Shambhala se demanda longtemps ce que Gopî avait voulu dire. Faute de pouvoir se rappeler nettement ce qu'elle avait fait, il souhaita retrouver cette expression qu'elle avait eue afin d'en comprendre éventuellement la signification. Comme si elle avait entendu sa requête muette, Gopî se mit à lui montrer «le masque» chaque fois qu'elle quittait la pièce. Elle s'arrangeait toujours pour être placée de telle sorte que personne d'autre que lui ne la voie et cela lui confirma qu'il s'agissait bel et bien d'un message à lui destiné.

Son histoire lui était devenue si familière qu'il pouvait compter sur un certain automatisme verbal pour poursuivre sa narration pendant les quelques secondes de congé qu'il prenait pour observer l'expression étrange de Gopî avant de reprendre le fil de son récit.

Le masque exprimait l'abrutissement, cela était de plus en plus évident. La petite fille, se tournant d'abord vers le mur, vidait son visage de toute expression d'intelligence et c'était un regard bovin, des joues flasques, une bouche molle et entrouverte qu'elle présentait à Shambhala qui ne savait toujours pas comment interpréter ce langage du corps qu'elle répétait avec une insistance propre à l'intriguer.

Un jour, pourtant, Shambhala saisit le sens du message. Gopî était partie depuis plus d'une heure et il en arrivait à ce point de son récit où, alors qu'il était en train de danser sur la plate-forme, son père traversait la rivière, brandissant très haut son bâton, quand les mots de son récit et les images qu'il avait en tête ralentirent au point d'atteindre une sorte d'immobilité. Comme si l'histoire s'était interrompue d'elle-même, se maintenant hors du temps, dans une sorte d'espace cristallin et très lumineux fait d'une myriade de gouttes d'éther susceptibles de changer de structure d'un instant à l'autre pour former une tout autre image que celle de la vérité.

La vérité? Shambhala sursauta. Ce qu'il racontait avait-il le moindre rapport avec la vérité? Dans un vrombissement assourdissant, il se dédoubla alors et fut témoin de la scène qui se déroulait dans le salon de Kundavai.

Un jeune invalide joufflu et somptueusement vêtu, affalé contre des coussins mous, entouré de femmes suspendues à ses lèvres, racontait une histoire apparemment palpitante. De temps à autre, il suçait une noix de bétel ou croquait une dragée pendant que son auditoire soupirait, attendant la suite avec une impatience non feinte. Le conteur savourait ces moments de suspense et prolongeait volontiers ses pauses jusqu'à ce que l'une des femmes finisse par crier grâce en suppliant:

— Shambhala, Shambhala, ne nous faites pas languir davantage et dites-nous encore comment vous avez crié et appelé au secours toute la nuit sans que personne ne vous vienne en aide.

Le jeune homme opinait du chef et reprenait là où il avait laissé son récit, satisfait de son effet.

Shambhala poursuivit la triste histoire jusqu'au bout mais quand il quitta le salon de Kundavai, au moment où le soleil se couchait, il repensa à cette courte transe au cours de laquelle il s'était vu de l'extérieur et avait compris, avec horreur, que c'était son ego qui racontait, gonflant certains épisodes de son drame, cherchant à apitoyer.

Bien sûr, il avait perdu l'usage de ses jambes, pensa l'infirme en se traînant dans l'allée du jardin plongée dans une douce lumière dorée. Bien sûr, cela était arrivé. Mais qui donc était à blâmer? Son père? Lakshman qui n'était pas intervenu? Le maharadjah qui s'était éclipsé alors que son ministre, il le savait, ferait une colère? Ou le guru qui n'avait rien fait d'autre pour sauver Shambhala que de lui ordonner de renoncer à la danse? Qui blâmer? Fallait-il tout simplement s'en prendre à son karma à lui, Shambhala Sharmâ, qui avait désobéi à son père?

Et tandis qu'il traînait son corps lourd et impotent vers le soleil qui se couchait au bout de l'allée de cyprès, il prit la résolution de ne plus jamais raconter son histoire à qui que ce soit.

❑

Le lendemain, il se présenta au *darshan*, les yeux rouges et bouffis. Il avait pleuré toute la nuit. Il avait en effet revécu en détail chacun des après-midi passés à se remémorer publiquement sa douleur et à accuser implicitement son père, que toutes les dames de la cour détestaient maintenant avec ferveur. Des trois femmes du ministre, seule Bhâvanî ne s'était jamais rendue à ces réunions et Shambhala avait compris, au cours de sa nuit blanche, que l'absence de sa mère et son silence réprobateur auraient pu lui mettre la puce à l'oreille dès le début. Le mal était fait: il avait beau être bourré de remords, cela ne servirait à rien de tourner le fer dans la plaie plus longtemps.

Un léger sourire flotta sur les lèvres de Spandananda quand il vit l'infirme se traîner dans la cour intérieure du palais. Au moment où son front touchait le sol pour saluer, Shambhala sentit toute la tristesse qui alourdissait son âme et il pria le guru de l'aider à surmonter cette nouvelle épreuve. Il porta ensuite la main à ses yeux puis à sa poitrine et, se relevant laborieusement, il rampa jusqu'au mur puis, fermant les yeux, il se concentra sur les sons pour ne pas pleurer.

Le guru entonna un chant et le jeune garçon se donna de toute son âme à chacune des syllabes, espérant que la grâce de Shiva finirait par balayer son insondable tristesse.

L'allégresse montait à mesure que le rythme s'accélérait et, sur un signal du guru, les musiciens se mirent à improviser un pont musical pendant que l'assemblée battait des mains à tout rompre. Dès que les voix se turent pour laisser la place aux seuls instruments, Shambhala tomba dans une profonde méditation.

Des images avaient dû traverser sa rêverie parce que son attention fut tout à coup attirée par l'une d'entre elles: il voyait un épais tapis à fleurs roses et des coussins épars. Il devinait qu'il n'apercevait là qu'une partie d'une immense salle baignée de lumière bleue et que cela se trouvait quelque part dans l'avenir. Une voix tonna:

— Il y a de l'espace pour danser. De l'espace pour toi, Shambhala.

Il se réveilla en sursaut. La voix venait du rêve et il rêvait encore car, même s'il entendait de nouveau la musique et se rappelait qu'il était assis dans la cour du palais, il avait toujours les yeux fermés. Tout à coup, avec la violence d'un typhon de feu, Spandananda surgit très haut devant lui, sa gerbe de plumes de paon à la main. C'était de lui que venait la voix. C'était lui qui disait:

— Il y a de l'espace pour danser. De l'espace pour toi, Shambhala.

Le jeune homme se mit à trembler convulsivement. Sa tête tournait dans toutes les directions, ses bras tournoyaient dans l'air: il eut le sentiment que la vibration à la base de sa colonne vertébrale était si puissante qu'elle le soulevait de terre. Il tourbillonna avec le guru qui lui assenait des coups de plumes sur le sommet du crâne.

Il retomba lourdement dans son corps au moment où le chant reprenait et il se remit à chanter, heureux que les convulsions n'aient pas dégénéré en crise comme il l'avait craint un moment. Il était par contre tellement ébranlé par l'expérience qu'il sut qu'il devait en parler sur-le-champ à Spandananda. Il n'avait pas rêvé, il en était sûr. Un phénomène étrange s'était passé entre le guru et lui, et il sentit qu'une force irrésistible émanait de Spandananda et l'attirait à lui.

Shambhala s'éclipsa aux cuisines dès le début du *darshan*. Il réussit à se procurer une noix de coco qu'il voulait offrir au guru. L'infirme se traîna dans la file qui avançait lentement, serrant le fruit contre sa poitrine. Brûlant de peur et d'amour, il songea qu'il voulait offrir le meilleur de lui-même à Spandananda et il se demanda ce qu'il avait de meilleur à offrir. Danser, voilà ce qu'il pouvait faire de mieux! Il maîtrisait à la perfection l'art de la danse. C'est sa virtuosité de danseur qu'il décida d'offrir à son guru. Pendant un instant, il avait oublié qu'il n'était plus qu'un invalide. Il se sentit ridicule et pathétique.

L'intensité de son désir était si grande que Shambhala dut calmer son esprit tumultueux et, n'écoutant que son cœur, il rampa vers Spandananda, sa noix de coco serrée contre lui, en lui disant, dans son for intérieur:

— Je veux danser pour toi, Spandananda, oui, danser pour toi!

Il s'attendait à être rabroué avec son offrande absurde mais, au contraire, Spandananda regarda l'infirme se mouvoir vers lui en s'appuyant sur ses coudes et lui fit le plus merveilleux des sourires.

Enhardi par cet accueil suprêmement bienveillant, Shambhala tendit à deux mains son humble noix de coco et ouvrit la bouche pour parler.

Le temps s'arrêta. Avec une infinie lenteur, le guru se pencha vers son disciple et lui consacra toute son attention. Une attention tellement soutenue que tout ce qu'il y avait autour d'eux s'évanouit et qu'ils se retrouvèrent seuls tous les deux, pendant une bienheureuse éternité.

Shambhala dit qu'il avait peur, très peur. Qu'il savait qu'avec l'aide du guru il surmonterait sa peur. Spandananda acquiesça gravement et, pointant sa gerbe de plumes de paon en direction d'Âkâshananda, il dit à Shambhala d'aller lui parler. Sa voix était douce, si douce!

Encore bouleversé, Shambhala s'approcha d'Âkâshananda qui l'entraîna un peu à l'écart afin de pouvoir converser avec lui. Le jeune homme raconta tout au disciple qui avait renoncé à son titre de maharadjah pour devenir l'assistant du guru. Il raconta comment il avait perdu l'usage de ses jambes, comment, surtout, il s'était servi de son malheur pour attirer la pitié, divertissant les dames de la cour avec son histoire. Il raconta la vision de Spandananda lui disant qu'il y avait de l'espace pour danser et la peur foudroyante qui l'avait saisi, le forçant à réclamer l'aide du guru.

Le lendemain, Âkâshananda le convoqua dès le lever du jour pour lui dire que le maître avait jugé préférable que le fils du ministre s'éloignât du palais quelque temps. Son service au guru serait désormais de travailler auprès des indigents et des malades. Spandananda venait en effet d'instaurer un service de soins pour les démunis dans l'enceinte du grand temple de Nataraj.

Shambhala ne put cacher sa déception. Il avait secrètement espéré que Spandananda lui rendrait miraculeusement ses jambes de danseur. L'éloigner du palais? C'était le protéger de la tentation de se raconter aux dames de la cour mais c'était aussi l'éloigner de lui.

Il surmonta vite son amertume. Spandananda ne voulait que son bien, il le savait. Et puis, ne serait-il pas tout près du dieu dansant devant lequel il pourrait se prosterner tous les jours? Qui sait: peut-être qu'un miracle finirait par se produire et qu'il pourrait de nouveau danser?

C'est plein d'espoir que Shambhala entreprit de faire son léger bagage pour aller vivre chez son ami Sundara. Le prêtre qu'il avait autrefois rencontré et avec lequel il avait entretenu des liens d'amitié vivait à deux pas de l'entrée du temple.

Bhâvanî aida son fils à se préparer. Pas un seul mot de reproche n'avait franchi ses lèvres mais elle se réjouissait de le voir reprendre la voie de son *dharma.*

❑

Shambhala emménagea chez Sundara Dikshitar. On lui prépara un lit dans la chambre des enfants et l'infirme se demanda comment il réussirait à vivre dans une telle promiscuité.

Il commença son travail dès le lendemain et n'eut pas le loisir de se perdre en considérations sur son confort physique. Les soins aux malades étaient dispensés par le médecin de la cour qui recrutait son personnel parmi les disciples du guru et offrait gracieusement ses services aux pèlerins souffrants dont la file s'allongeait davantage chaque jour. Il y avait là de jeunes mères sous-alimentées qui amenaient leurs bébés presque morts de faim, des lépreux aux traits léonins, des borgnes et des aveugles, des éclopés de toutes sortes. C'était un véritable flot de misère humaine qui déferlait chaque jour dans la Salle aux Mille Piliers où on avait installé des nattes pour les malades.

Shambhala, se traînant sur les genoux, allait du médecin à son assistant et de l'assistant à l'apothicaire qui préparait les onguents et les poudres que l'infirme rapportait dans un petit chariot fabriqué par Ananda. Le nain qui l'avait autrefois piloté dans le temple était chargé de la liaison entre les prêtres et les disciples du guru travaillant avec le médecin. Les prêtres du temple ne voyaient pas d'un très bon œil cette œuvre de bienfaisance qui attirait chez eux la populace la plus mal en point du royaume, mais ils ne pouvaient que tolérer cette entreprise envahissante encouragée par leur mécène.

Shambhala distribuait aux enfants le lait qui était réchauffé dans les cuisines du palais et que l'on emportait chaque matin dans de grandes cruches. Les mendiantes emmenaient leurs petits qui tendaient timidement leurs gamelles, craintifs. L'infirme aidait de plus le médecin quand celui-ci lavait les plaies. Grimpé sur la table pour être à la hauteur du bébé, Shambhala maintenait un jour en place une fillette d'un an dont le corps était couvert de blessures infectées. Le médecin appliqua de la lotion de gentiane: les hurlements de la petite effrayèrent Shambhala au point qu'il faillit la laisser tomber.

La lotion piquait un peu, mais c'était surtout la terreur qui faisait crier l'enfant. L'infirme tenait fermement le torse menu qui se tordait et il sentait, sous ses mains qu'il voulait rassurantes, le cœur qui battait à tout rompre. Il répéta intérieurement son mantra, inconsolable d'entendre le jeune être souffrir autant. Il tenta de réconforter l'enfant, essayant de lui faire comprendre que le médecin ne lui voulait aucun mal, que c'était au contraire pour son bien qu'il la torturait ainsi.

Mais comment faire comprendre cela à un bébé qui s'époumone pour survivre, animal vulnérable dont l'instinct de conservation est tellement à vif que rien ne peut le calmer?

D'autres enfants venaient avec leur mère et, s'accrochant à elle désespérément, ils se laissaient à peine toucher par le médecin qui grommelait en tamil que ces gens étaient tellement sales que leurs plaies ne guériraient jamais de toute façon. Shambhala savait que ces pèlerins venus du Nord ne parlaient pas leur langue mais il remarqua une lueur de fierté blessée dans les yeux de la femme qui prit deux des petits dans ses bras et s'éloigna, tête basse, humiliée, pendant que son plus vieux se pendait à son sari.

Ce n'était certainement pas le service au guru que celui-ci attendait de ses disciples! Shambhala eut honte de n'avoir rien dit pour défendre la femme, mais le médecin était déjà occupé à nettoyer les oreilles pleines de pus d'un garçonnet stoïque et il comprit qu'à voir tant de souffrances, jour après jour, le pauvre homme était devenu insensible au sort de ses patients et accomplissait ses tâches du mieux qu'il le pouvait, incapable d'éprouver la compassion qu'il avait sans doute ressentie au début.

On fermait à midi quand la chaleur du soleil était devenue trop intense. Shambhala prenait alors un bain dans le bassin auquel menaient les *ghâts* de la Salle aux Mille Piliers. Ensuite, il allait prendre son repas avec la famille de Sundara et faisait rire les cinq petites filles de son hôte avec ses imitations du grand singe Hanumân. Après une courte sieste, Shambhala retournait au temple pour aider l'apothicaire à fabriquer ses potions et à préparer les remèdes pour le lendemain.

Il se rendait ensuite à la prière du soir. Il devait se tenir loin des pèlerins debout devant le sanctuaire car ceux-ci l'auraient écrasé et il s'asseyait sur le sol de pierre de la Salle de la Danse d'où il pouvait voir le Nataraj rutilant de tous ses bijoux dans la lueur des flammes de l'offrande. Son cœur battait toujours la chamade, comme si c'était la toute première fois qu'il avait le *darshan* du dieu dansant.

Le soir, il ne soupait pas. Son corps alourdi par les excès de table des derniers mois se rebella au début contre ce nouveau régime mais Shambhala tint bon et réussit à vaincre sa gourmandise. Il s'asseyait dans un recoin de la Salle de la Danse et méditait jusqu'à l'offrande de la nuit à laquelle il assistait, somnolent, avant de rentrer dormir chez le prêtre.

La mousson revint et les pluies incessantes rendirent le travail plus difficile. On avait installé des toiles mais les patients arrivaient trempés jusqu'aux os, toussaient et mouchaient de sorte que la contagion se répandait rapidement.

Un jour, assis dans les *ghâts* après son service, Shambhala contemplait un énorme nuage suspendu au-dessus du temple. Il était triste, d'une tristesse grise comme le temps. Il pensait à son père. Il y pensait davantage depuis qu'il ne vivait plus au palais. Devant ses frères, devant sa mère, il aurait craint qu'on puisse lire le ressentiment sur son visage. Mais ici, il n'avait que le ciel pour témoin...

Oui, il en voulait à Achyûta, terriblement! Jamais il ne retrouverait l'usage de ses jambes, il le savait maintenant. Son genou gauche s'était de nouveau infecté et le faisait de plus en plus souffrir: même ramper lui était devenu pénible. Pourquoi son père, qui l'avait pourtant aimé, l'avait-il à ce point mutilé? Pourquoi?

Le ciel restait muet. Le vent se leva et la pluie se mit à tomber par rafales; de véritables rideaux liquides s'abattaient sur les *ghâts*. Shambhala ne se mit pas à l'abri. Il pleurait.

La pluie s'arrêta presque aussi vite qu'elle était venue. Une marchande de riz soufflé s'approcha de Shambhala. Le vent avait chassé le nuage et un soleil de feu dardait ses rayons dans l'eau du bassin qui miroitait. La marchande demanda à l'infirme s'il voulait nourrir les poissons. Shambhala, fâché d'être dérangé, lui répondit brutalement de le laisser tranquille. Elle vit alors qu'il pleurait. Elle resta sur les marches, près de lui, aussi longtemps que durèrent ses pleurs.

Shambhala ne connaissait pas la marchande mais, si sa présence l'avait d'abord agacé, il lui fut bientôt reconnaissant d'être là, debout, impassible, à veiller sur sa souffrance. Elle ne savait pas pourquoi il pleurait. Mais dans son âme simple, elle savait que la souffrance de Shambhala était la sienne, que toute souffrance humaine était une seule et même souffrance. Cette femme savait cela.

Le jeune homme se sentit consolé. Il se leva, sécha ses yeux, tordit son pagne trempé par la pluie et, remerciant la marchande à mi-voix, il s'éloigna. Elle le salua de la main, souriante, contente de voir que le jeune homme allait mieux.

❑

Shambhala sut qu'il allait mourir quand son frère Lakshman vint lui annoncer la mort du perroquet. Un vilain garnement avait lancé une pierre à l'oiseau qui répétait encore perpétuellement le mantra universel, perché sur une branche de l'arbre qui se trouvait devant la maison du ministre. Le perroquet était mort sur le coup.

L'infirme, quand il apprit la nouvelle, sentit qu'un voile noir se tendait entre le monde et lui. Il ne voulut pas faire part de sa prémonition à son frère mais il se prépara, à partir de ce jour-là, à quitter son corps physique. Celui-ci le faisait de toute façon tellement souffrir que la perspective de la mort ne l'effrayait même pas.

Âkâshananda, flanqué de ses deux grands chiens roux, marchant d'un bon pas, la tête droite, traversa un jour la Salle aux Mille Piliers et s'approcha de la longue file des malades qui, accroupis à l'ombre, attendaient patiemment leur tour. Shambhala les interrogeait l'un après l'autre, leur demandant pour quelle raison ils venaient consulter. Il était aidé en cela par Ananda car le nain connaissait le telugu et le malayâlam en plus du tamil et avait quelques notions de bengali qu'il avait glanées ici et là auprès des pèlerins, au cours des années passées dans le temple.

Ce jour-là pourtant, le vieil homme que Shambhala essayait de comprendre ne parlait aucune des langues connues de l'interprète. L'homme était petit, très maigre et très foncé de peau. Vêtu d'une couverture de laine sous laquelle il devait suffoquer, il répétait obstinément une requête qui n'était que charabia pour Ananda comme pour Shambhala. Celui-ci, exaspéré, prit une grande inspiration, répéta le mantra et demanda mentalement l'aide du guru.

Juste à ce moment-là, Âkâshananda, qui n'avait rien perdu de la scène, s'approcha du vieil homme et s'adressa à lui dans une langue inconnue. L'homme se prosterna face contre terre puis, se relevant, répéta sa ritournelle avec une véhémence redoublée.

Âkâshananda éclata de rire. Shambhala l'interrogea du regard. L'assistant du guru déclara que l'homme était un prophète de malheur, commanda qu'on apporte d'abord à manger au malheureux puis qu'on aille le reconduire à l'extérieur du temple et qu'on l'invite à passer son chemin.

L'incident confirma Shambhala dans le sentiment que sa fin était proche. Deux jours plus tard, une forte fièvre se déclara. Le jeune homme continua à travailler jusqu'à ce que le médecin, remarquant qu'il tremblait et claquait des dents, lui ordonnât d'aller se mettre au lit au plus vite. Il passa le voir à l'heure de la sieste: les petites filles du prêtre pleuraient toutes les cinq, désolées de voir leur compagnon de jeu aussi faible. Shambhala, en effet, arrivait à peine à ouvrir les yeux. Il avait vomi toute la matinée et son cœur palpitait d'une bien alarmante façon.

Le médecin dépêcha aussitôt Ananda auprès du guru. Celui-ci fit savoir qu'il fallait d'urgence transporter Shambhala au temple de Kâlî, à une courte distance de Chidambaram. Le médecin prit les mesures nécessaires et quand il arriva au temple où on vénérait la déesse furieuse au corps sanguinolent, le brahmane, sur les ordres que le guru lui avait fait parvenir, avait déjà entrepris un feu rituel en hommage au Seigneur de la Mort.

Le médecin comprit que tout était consommé et qu'il ne pouvait plus rien faire pour maintenir en vie le corps de Shambhala. Le guru se chargeait maintenant de son âme. Il quitta le temple sans avoir fait ses adieux à l'infirme, craignant que celui-ci ne lise dans ses pensées et ne prenne peur.

Shambhala n'avait pas peur. Quand il entendit le brahmane entonner le *Rudram*, il sut que le guru l'aiderait à mourir et il tenta, malgré la douleur aiguë dans ses jambes, de concentrer son esprit sur les mantras.

Dès qu'on apprit sa soudaine maladie, les frères de Shambhala et sa mère vinrent lui rendre visite. Le jeune homme, quand la fièvre lui laissait un peu de répit, leur disait quelques mots car il était encore assez lucide. C'étaient des mots d'adieu, à n'en pas douter. L'un après l'autre, Ram, Bhârata, Shatrughna et Lakshman étreignirent leur jeune frère, puis laissèrent Bhâvanî seule avec son fils. Celle-ci ne dit rien: elle se contenta d'éponger le corps brûlant de Shambhala avec de l'eau fraîche puis, l'embrassant une dernière fois, elle le laissa en compagnie du brahmane chargé d'entretenir le feu sacrificiel du petit temple.

Comme elle sortait du temple, elle croisa Ram qui venait à sa rencontre, rouge de colère, lui annoncer que Lalitâ désirait voir le mourant. Il espérait que Bhâvanî lui demanderait d'éconduire la danseuse mais celle-ci, au contraire, souhaita elle-même la bienvenue à la jeune femme intimidée. Lalitâ s'approcha de Shambhala tandis que Bhâvanî faisait signe au brahmane de les laisser seuls.

Shambhala avait évité de revoir la danseuse. Celle-ci avait appris la colère meurtrière du ministre. Ram était alors venu l'accuser d'en porter la responsabilité. Elle l'avait chassé avec des cris de rage et d'impuissance. Lalitâ savait que l'infirme avait ensuite travaillé au temple et elle avait, elle aussi, cherché à échapper à des retrouvailles pathétiques. Elle avait escompté pouvoir, avec le temps, renouer une relation amicale avec son amant. Mais le grotesque Ananda venait de lui apprendre que Shambhala était à l'article de la mort.

Le jeune homme avait le visage gris et les traits tirés. Lalitâ toucha doucement sa main. Il ouvrit les yeux, la vit, fit un mouvement vers elle. Elle le prit contre elle. Elle embrassa ses joues et sa bouche, lui caressa les cheveux. Shambhala se blottit contre la poitrine de son amante. Son silence lui fit du bien. Il ferma les yeux et sentit que la déesse mère elle-même l'enveloppait dans ses bras maternels. Ils restèrent ainsi jusqu'à ce que le brahmane revienne et demande sèchement à Lalitâ de s'en aller. Quand elle ne fut plus là, Shambhala se mit à gémir.

Un peu plus tard, Kundavai lui amena la petite Lîlâ, suivie par Gopî qui avait insisté pour accompagner sa demi-sœur. Shambhala, malgré sa grande faiblesse, fut heureux de voir la bambine qui babillait en courant d'un bout à l'autre du temple. Kundavai respecta le silence du jeune homme; elle tint entre les siennes la main droite de Shambhala tout en contemplant le feu qui, nourri de beurre clarifié, flambait très haut devant la statue de Kâlî vêtue de soie rouge et badigeonnée de vermillon.

Quant à Gopî, elle avait noué ses petites mains autour du cou de Shambhala et était restée collée contre lui un long moment, triste et émue. Puis elle s'était lancée à la poursuite de Lîlâ qui courait toujours et l'avait entraînée dans la cour intérieure d'où parvenaient les rires de la petite et les chuchotements de la fillette.

Ananda entra dans le temple. Le nain apportait un baume préparé par le médecin pour soulager la douleur aux jambes. Il l'appliqua consciencieusement puis, voyant que le brahmane s'éclipsait derrière la statue de la déesse, il le suivit jusque dans la cour. Par la porte entrouverte, Shambhala, les yeux mi-clos, les vit converser fort longtemps, bien longtemps après le départ de Kundavai. Il faisait déjà nuit noire quand le nain retraversa le temple sur la pointe des pieds, croyant Shambhala endormi.

Shambhala ne dormait pas. Il veillait. Il voulait avoir pleinement conscience des dernières heures qu'il passerait sur terre, dans ce corps qui lui avait donné tant de joie et tant de peine, ce corps encore jeune mais irrémédiablement brisé qu'il s'apprêtait à laisser derrière lui pour s'envoler vers le Danseur, lui, le seul et unique Nataraj dont il croyait entendre le pas dans la pénombre du temple éclairé seulement par la flamme ténue du feu rituel.

❑

Le brahmane revint scander le *Rudram* puis d'autres mantras, fit de nouvelles offrandes au feu, ajouta du bois, versa du beurre clarifié et le dieu bondit très haut sous le dôme, flambant d'or et de sang. Le prêtre se retira ensuite et Shambhala resta seul dans le temple.

Il faisait nuit depuis longtemps et la flamme avait de nouveau diminué quand Shambhala, qui contemplait les étoiles visibles à travers un œil-de-bœuf au plafond, sentit une présence à l'autre bout du temple. Quelqu'un s'avançait. La silhouette tenait quelque chose dans ses bras, quelque chose de vivant. Le jeune homme crut qu'il rêvait mais Âkâshananda s'agenouilla tout près de lui et Shambhala vit qu'il ne délirait pas quand il sentit contre lui la chaleur du petit faon que l'assistant du guru venait de lui mettre dans les bras.

Il fondit de bonheur. L'animal le regarda de ses grands yeux très noirs, veloutés, bordés de longs cils doux. Âkâshananda, penché vers lui, le regardait. Il avait les mêmes yeux que l'animal, de grands yeux si noirs et tellement tendres! L'ancien maharadjah chuchota:

— C'est un cadeau de Spandananda.

Délicatement, il posa la main sur la tête du jeune homme qui frissonna. Âkâshananda s'éloignait vers la porte quand la flamme retomba complètement, plongeant le temple dans l'obscurité.

❑

Les constellations se déplacèrent dans le coin du ciel visible du temple et la nuit s'écoula, tendre et chaude, parfumée, lacérée de douleurs aux jambes et de frissons. La fièvre était un peu tombée et Shambhala, au contact du faon, retrouvait peu à peu ses esprits. Il serra l'animal contre lui toute la nuit. Dès qu'il ouvrait les yeux, la petite bête levait ses longs cils et plongeait son regard confiant dans celui de Shambhala. Le jeune homme ne voulait pas mourir. C'était la fin pourtant, il le savait.

— Je n'aurai vécu que seize ans, pensa-t-il, amer. Ô Shiva, dieu cruel, pourquoi ne pas m'avoir accordé plus de temps? gémit-il en s'adressant au faon, pourquoi avoir interrompu ma danse avec la tienne, destructrice et violente? Pourquoi t'être emparé du bras de mon père pour me briser, pourquoi Nataraj, pourquoi?

La révolte rugissait en lui, flamme haute et puissante qui le consumait. Shambhala entendit alors un cri, tellement perçant qu'il en sursauta. Dans le temple de Kâlî, pourtant, il n'y avait que les derniers soupirs d'un feu qui se mourait. Il se rendit vite à l'évidence: c'est en lui que ce cri s'élevait, véhément. Il ferma les yeux.

Peu avant l'aube, le brahmane vint nourrir le feu et psalmodia quelques mantras. Dès qu'il s'arrêta, l'infirme lui réclama du lait pour le faon. Surpris, le brahmane demanda comment l'animal s'était retrouvé là. Shambhala répondit que quelqu'un était venu le voir tard dans la nuit et le lui avait offert. Il ne mentionna pas que c'était un cadeau du guru, cherchant à éviter les questions de l'homme qui lui sembla trop curieux.

Le soleil venait de se lever quand Bhâktananda vint rendre visite à son élève. Shambhala fut heureux de revoir son vieux maître qui le serra affectueusement dans ses bras et chercha à le faire rire malgré la gravité de la situation. Il y réussit quand, se désolant de ce que le faon n'eût pas de nom, il le gratifia sur-le-champ de celui de Mâtrikâ Shakti. C'était là le nom de la mère du langage et Shambhala, qui se sentait nettement mieux ce matin-là, rit de bon cœur quand il constata que son précepteur de sanscrit ne perdait pas une occasion de lui faire la leçon. Le brave homme repartit au bout d'une heure, ravi de pouvoir annoncer à son retour au palais que le jeune malade se portait beaucoup mieux.

Le brahmane offrit un peu de potage au cari à Shambhala qui le refusa, désireux d'éviter que les nausées ne recommencent. Le faon s'était rendormi, après avoir bu du lait, et Shambhala avait appuyé sa joue contre la fourrure chaude de l'animal dont la respiration le berçait merveilleusement.

Après avoir chanté plusieurs *Rudram* et fait toutes les offrandes de riz, de miel, de noix de coco et de beurre clarifié au feu, après avoir fait l'offrande à

Kâlî qu'il avait revêtue d'une robe de brocart pourpre, le brahmane prit place à côté de Shambhala et, après quelques minutes de silence, lui demanda comment il en était arrivé à perdre l'usage de ses jambes.

Shambhala sursauta. Décidément, il allait mieux. Il avait l'esprit beaucoup plus clair. Mais pourquoi donc le brahmane lui posait-il cette question? Il ne répondit pas, agacé.

L'homme revint à la charge quelques minutes plus tard, en demandant si Shambhala était bien le fils d'Achyûta Sharmâ qui avait été ministre du maharadjah pendant de nombreuses années avant de disparaître sans laisser de traces. L'infirme répondit sèchement que oui et, se tournant péniblement contre le mur, le petit faon dans ses bras, il fit mine d'ignorer le brahmane.

Celui-ci s'affaira de nouveau auprès du feu et, tandis qu'il invoquait la clémence du Seigneur de la Mort, Shambhala comprit soudain ce qui avait attisé la curiosité de l'homme: Ananda! Le nain avait dû raconter ses mésaventures au brahmane! C'était donc ça qu'il lui disait la veille, c'était pour ça qu'il s'était éternisé dans le temple!

Shambhala en voulut à Ananda d'avoir ébruité son histoire. Il ne lui en avait jamais parlé lui-même mais il avait souvent surpris le nain à interroger des gens qui l'avaient connu à la cour afin d'en savoir plus long sur les circonstances de l'«accident» qui lui avait coûté les jambes.

La nuit tomba encore une fois. Le brahmane se prépara du riz dont il offrit une part à Shambhala qui ne voulut toujours pas manger. Il n'était venu personne pour le voir depuis le début de la matinée et Shambhala s'en attrista. Maintenant qu'on le savait un peu rétabli, plus personne ne s'inquiétait de son sort. Le brahmane dut sentir ce moment de dépression car il en profita pour interroger Shambhala. L'infirme savait-il où était son père?

L'imagination de Shambhala s'enflamma. La fièvre avait repris et l'irritation que lui causait l'indiscrétion d'Ananda et du brahmane se mêla à la détresse qu'il éprouvait dès qu'il se rappelait son père. Dans son délire, il se mit à se demander si la rumeur qui voulait qu'Achyûta se soit rendu jusque sur les hauts plateaux du Tibet avait quelque fondement.

Il imagina son vieux père enveloppé dans des châles de cachemire, luttant contre le vent. Il se demanda s'il arrivait à Achyûta de penser à son plus jeune fils et à la vie qui était la sienne maintenant qu'il ne pouvait plus danser.

Le brahmane versa du beurre clarifié et jeta des pincées de sel dans le feu. La flamme s'éleva, rouge, longue langue de feu bordée de fumée noire. Dans l'écran de chaleur, Shambhala se revit dansant sur la plate-forme près de la rivière. Il se voyait de l'extérieur, souple silhouette en pantalon et jupe de soie plissée, jaquette blanche et couvre-chef à aigrette. Ses longs doigts peints en rouge se déployaient avec vivacité autour de lui, ses pieds agiles martelaient le sol, faisant tinter des clochettes. Ses yeux, mobiles, regardaient vers la droite puis vers la gauche. La voix de Lakshman scandant les syllabes sacrées lui parvint, nettement rythmée par les battements du tambour.

La vision qui, jusque-là, correspondait à son souvenir prit tout à coup une autre dimension. Il aperçut, à la droite du danseur qu'il voyait maintenant de dos, de l'autre côté de la rivière, Achyûta appuyé sur son bâton, très droit et très digne. Il crut lire, pendant une fraction de seconde, dans le regard de son père, une lueur d'admiration.

Il revécut toute la scène. Cette fois, il était dans son corps. Son cœur battait à tout rompre, ses muscles bien échauffés répondaient à merveille et l'extase comblait chaque pore de sa peau.

Achyûta, son père, vénérable vieillard à tête blanche, le regardait danser et admirait son fils. Oui, il l'admirait! Shambhala avait, en ce fugace instant, triomphé devant le vieil homme qui lui avait si fermement interdit la danse. Achyûta n'avait pu que s'incliner devant tant de dévotion.

Les images se dissipèrent et Shambhala comprit que c'était cet instant de triomphe presque rageur qui l'avait perdu. Son cœur se contracta de douleur. À travers les flammes qui dansaient, hautes et claires, Shambhala revoyait le regard bleu glacé de son père, un regard brillant de lumière. Il murmura:

— Père, oh! père...

Et son cœur fatigué cessa de battre.

❑

Le dieu dansant aperçut le corps sans vie de Shambhala sur le sol du temple de Kâlî, à quelque distance du grand temple de Chidambaram où on le vénérait sous la forme du Nataraj de l'*âkâsha.* Sortant de son cercle de flammes, Shiva posa le pied sur la pierre froide, à côté du feu éteint. Le brahmane dormait un peu plus loin et son ronflement sonore le fit sourire. Le dieu géant caressa le pelage du faon qui s'était mis debout sur ses pattes graciles et le regardait bravement.

Le Seigneur de la Danse se pencha et, prenant le corps léger du danseur dans ses bras, il s'éleva audessus du temple de Kâlî. Volant à travers l'éther, il l'emporta jusqu'à sa demeure dans l'Himâlaya.

Le soleil levant toucha de ses pâles rayons la couche vide de Shambhala. Le faon tourna ses prunelles brunes pailletées d'or vers le ciel puis il se rendormit. On ne retrouva jamais le corps du danseur.

❑

Le pèlerin s'était mis en route dès les premières lueurs de l'aube. Il longea une paroi rocheuse qui le protégea du vent jusqu'à ce qu'il débouche sur une corniche surplombant la vallée plongée dans un épais brouillard bleuté. L'homme se mit à l'abri, enfonça sa toque de fourrure profondément sur ses oreilles et tapa l'un contre l'autre ses pieds chaussés de bottes en cuir de yak. Quand il se retourna, le brouillard s'était miraculeusement dissipé et il ne restait plus qu'un léger voile de brume à travers lequel le paysage surgissait, par éclaircies. La vallée se déployait, prairies semées de fleurs et torrents tumultueux déferlant des hauteurs de l'Himâlaya.

Le vieil homme avait la peau rougie par les engelures et des glaçons hérissaient sa barbe. L'air raréfié lui brûlait les poumons et il n'avançait qu'à grand-peine, s'appuyant sur son bâton de voyageur pour garder l'équilibre tandis qu'il marchait sur la corniche balayée de rafales glacées.

Il se retrouva bientôt devant un escarpement qu'il lui fallut escalader. Ramassant les larges pans de son manteau de laine, il réussit tant bien que mal à grimper jusqu'en haut. Des gouttes de sueur coulaient sur son visage. Il s'accroupit pour reprendre son souffle et fut saisi d'une nausée. Il pencha la tête entre ses jambes et les battements de son cœur ralentirent peu à peu. Il appuya son dos contre un gros rocher et contempla la muraille qui s'élevait devant lui et qu'il devrait maintenant franchir.

Une grande fatigue s'abattit sur lui. Il rassembla cependant ses forces et reprit son ascension, plaçant prudemment chaque pied, s'accrochant aux aspérités du roc. Avec beaucoup d'efforts, il parvint enfin à se hisser sur une plate-forme où il s'étendit à plat ventre, épuisé. Le froid de la pierre lui fut cependant bien vite intolérable et, malgré son extrême lassitude, l'homme se releva.

La vue lui coupa le souffle. De l'autre côté d'un ravin, le mont Kailas dressait son sommet pyramidal couvert de neiges éternelles. Le soleil levant illuminait sa crête et coloriait de rose les parois de roc.

Le pèlerin tomba à genoux, ému. Il avait atteint son but. Il n'était plus qu'à un ou deux jours de marche de la cime. La joie étreignit son cœur, une joie telle qu'elle souleva du fond de son âme un fleuve de douleur. Pour la première fois de sa vie, l'homme laissa couler ses larmes. Elles tombèrent d'abord lentement puis de véritables sanglots entrecoupés de cris d'animal blessé secouèrent le pauvre homme. Il lui sembla que sa détresse était un puits sans fond et qu'il pleurerait ainsi jusqu'à la fin des temps, pèlerin solitaire de l'Himâlaya. Les larmes cessèrent pourtant et, dans la lumière neuve du jour naissant, il sentit son âme pénétrée d'une céleste tristesse.

Table

TITRES PARUS DANS LA COLLECTION FICTIONS

Abel, Alain	*Les vacances de M. Morlante*
Archambault, Gilles	*Stupeurs*
Asselin, Luc	*Guerre*
Baillie, Robert	*La nuit de la Saint-Basile*
Baillie, Robert	*Soir de danse à Varennes*
Baillie, Robert	*Les voyants*
Barcelo, François	*Aaa, Aâh, Ha ou les amours malaisées*
Barcelo, François	*Agénor, Agénor, Agénor et Agénor*
Beausoleil, Claude	*Fort Sauvage*
Bélanger, Marcel	*La dérive et la chute*
Bigras, Léon	*L'hypothèque*
Boisvert, France	*Les samourailles*
Boisvert, France	*Li Tsing-Tao ou Le grand avoir*
Bonenfant, Christine	*Pour l'amour d'Émilie*
Bonenfant, Réjean et Jacob, Louis	*Les trains d'exils*
Boulerice, Jacques	*Le vêtement de jade*
Brossard, Nicole	*Le désert mauve*
Calle-Gruber, Mireille	*La division de l'intérieur*
Choquette, Gilbert	*L'étrangère ou Un printemps condamné*
Choquette, Gilbert	*La nuit yougoslave*
Choquette, Gilbert	*Une affaire de vol*
Chung, Ook	*Nouvelles orientales et désorientées*
Cloutier, Guy	*La cavée*
Côté, Diane-Jocelyne	*Chameau et Cie*
Côté, Diane-Jocelyne	*Lobe d'oreille*
Cyr, Richard	*Appelez-moi Isaac*

Cyr, Richard — *Ma sirène*
Daigle, France — *La vraie vie*
Descheneaux, Norman — *Rosaire Bontemps*
Descheneaux, Norman — *Fou de Cornélia*
Désy, Jean — *La saga de Freydis Karlsevni*
Drapeau, Renée-Berthe — *N'entendre qu'un son*
Étienne, Gérard — *La pacotille*
Ferretti, Andrée — *Renaissance en Paganie*
Ferretti, Andrée — *La vie partisane*
Fontaine, Lise — *États du lieu*
Gaudreault Labrecque, Madeleine — *La dame de pique*
Gendron, Marc — *Opération New York*
Gobeil, Pierre — *Dessins et cartes du territoire*
Godin, Gérald — *L'ange exterminé*
Godin, Marcel — *Après l'Éden*
Godin, Marcel — *Maude et les fantômes*
Gravel, Pierre — *La fin de l'Histoire*
Harvey, Pauline — *Pitié pour les salauds!*
Jacob, Louis — *Les temps qui courent*
Jacob, Louis — *La vie qui penche*
Jasmin, Claude — *Le gamin*
Juteau, Monique — *En moins de deux*
La France, Micheline — *Le visage d'Antoine Rivière*
La France, Micheline — *Vol de vie*
Lecompte, Luc — *Le dentier d'Énée*
Legault, Réjean — *Gaspard au Lézard*
Legault, Réjean — *Lapocalypse*
Lemay, Francine — *La falaise*
Lévesque, Raymond — *Lettres à Ephrem*
Lévesque, Raymond — *De voyages et d'orages*
Martel, Émile — *Le dictionnaire de cristal*
Mercure, Luc — *Entre l'aleph et l'oméga*
Marchand, Jacques — *Le premier mouvement*
Monette, Madeleine — *Amandes et melon*
Moreau, François — *Les écorchés*
Morosoli, Joëlle — *Le ressac des ombres*
Nadeau, Vincent — *La fondue*
Ollivier, Émile — *Passages*
Paul, Raymond — *La félicité*
Piché, Alphonse — *Fables*
Piuze, Simone — *Les noces de Sarah*
Racine, Rober — *Le mal de Vienne*

Richard, Jean-Jules	*La femme du Portage*
Saint-Martin, Lori	*Lettre imaginaire à la femme de mon amant*
Savoie, Pierre	*Autobiographie d'un bavard*
Stanton, Julie	*Miljours*
Tourigny, Claire	*Modeste Taillefer*
Vaillancourt, Claude	*Le conservatoire*
Vaillancourt, Claude	*La déchirure*
Vallières, Pierre	*Noces obscures*
Villemaire, Yolande	*Le dieu dansant*
Villemaire, Yolande	*Vava*
Voyer, Pierre	*Fabula fibulæ*
Zumthor, Paul	*Les contrebandiers*
Zumthor, Paul	*La fête des fous*
Zumthor, Paul	*La porte à côté*
Zumthor, Paul	*La traversée*

Cet ouvrage composé en New Baskerville corps 12
a été achevé d'imprimer
le cinq janvier mil neuf cent quatre-vingt-quinze
sur les presses de l'Imprimerie Gagné
à Louiseville
pour le compte des
Éditions de l'Hexagone.

Imprimé au Québec (Canada)